Joseph Howard

DAMIEN: Omen II

Roman

nach dem Filmdrehbuch von
Stanley Mann
und Michael Hodges

Deutsche Erstveröffentlichung

Wilhelm Goldmann Verlag

Titel der Originalausgabe: Damien – Omen II
Originalverlag: The New American Library, Inc., New York
Aus dem Amerikanischen übertragen von Tony Westermayr
Fotos: Twentieth Century-Fox Film Corporation

Made in Germany · 10/78 · 1. Auflage · 1112 ·
© 1978 by Twentieth Century-Fox Film Corporation
© der deutschen Ausgabe 1978 beim Wilhelm Goldmann Verlag, München
Umschlagentwurf: Creativ Shop, A. + A. Bachmann, München,
unter Verwendung einer von der Twentieth Century-Fox Film Corporation
zur Verfügung gestellten Grafik
Satz: Mohndruck Reinhard Mohn GmbH, Gütersloh
Druck: Presse-Druck Augsburg
Verlagsnummer: 3745 · Putz/Vosseler/Hofmann
ISBN 3-442-03745-X

Prolog:

Vor sieben Jahren

Carl Bugenhagen, der Archäologe, machte sich Sorgen.

Nicht, weil er tief unter der Erde war und sich fortwühlte wie ein Maulwurf im Loch. Bugenhagen gefiel es da unten. Es war kühl und dunkel, es roch angenehm nach der Vergangenheit, und es war still. Nur jetzt nicht.

Bugenhagen hatte angefangen, Geräusche zu hören.

Bugenhagen war nicht leicht in Angst zu versetzen. Er war ein kräftiger Mann Ende Fünfzig mit dem massigen Genick und den Schultern eines griechischen Ringers aus der klassischen Zeit. Das weiße Haar, der Bart und die glühenden Augen verliehen ihm das Aussehen eines alttestamentarischen Propheten, was gut paßte, denn Bugenhagen erkundete in diesem Augenblick eine Ausgrabung unter der Erdoberfläche Israels. Er befand sich nicht allein dort, nicht nur, weil er einer der hervorragendsten Archäologen der Welt war, sondern auch, weil er versuchte, die Existenz des Teufels zu beweisen.

Die Geräusche beunruhigten Bugenhagen, und er hatte guten Grund, Angst zu verspüren. Er fürchtete, daß er der nächste in einer Reihe von Menschen sein würde, die zu töten der Teufel gezwungen gewesen war, weil sie gedroht hatten, die Wahrheit zu enthüllen. Mehr noch, der Teufel hatte allen Anlaß, Bugenhagen zu töten, denn Bugenhagen hatte in seiner Anmaßung und Frömmigkeit versucht, *Ihn* zu töten.

Bugenhagen war nicht bestrebt, für sich Beweise dafür zu finden, daß es den Teufel wirklich gab; er besaß alle Beweise, die er brauchte – ja, so viele, wie er zu ertragen vermochte. Alles, was er so lange geargwöhnt hatte, hatte sich als völlig wahr herausgestellt. Auf erschreckende Weise. Nein – er brauchte den Beweis für seinen Mitarbeiter Michael Morgan, damit die Wahrheit weiterleben konnte. Bugenhagen wußte nur zu gut, daß einer, der versucht hatte, den Antichrist zu töten – und dabei gescheitert war –, der Strafe zu entrinnen nicht hoffen konnte.

Bugenhagen hatte das Thema Morgan gegenüber am Vortag angeschnitten, als sie in einem reizenden Café am Meer gesessen, Likör getrunken und die Spätnachmittagsschatten beobachtet hatten, wie sie sich am abkühlenden Fliesenboden unter ihren Füßen ausdehnten . . .

Morgan hatte ihm zuerst nicht geglaubt. Bugenhagen konnte das verstehen. Man mußte sich wahrlich umstellen. In der nahöstlichen Welt greller Farben sitzend, während die untergehende Sonne dunkle Orange- und Rottöne über das dunkelblaue Mittelmeer schießen ließ und das verblassende Licht von den weißen Steinmauern der alten israelitischen Stadt Akka zurückgeworfen wurde, dachte sogar Bugenhagen zum erstenmal an die Möglichkeit, daß er total verrückt sein mochte.

Aber dann versicherte etwas in seinem Inneren, eine Stimme, keiner gleichend, die er kannte, daß er nicht nur bei Verstand, sondern mit einem Wissen *gesegnet* sei, das weiterzugeben seine ungeheure Verantwortung und Pflicht war.

Es störte Bugenhagen, daß Morgan zwar bei seiner begreiflichen Skepsis blieb, seine, Morgans, hübsche Freundin aber keinerlei Schwierigkeiten zu haben schien, ihm zu glauben. Daß sie überhaupt dabei war, hatte Bugenhagen von Anfang an gestört, aber Morgan war ein unverbesserlicher Romantiker und selten ohne weibliche Begleitung, wobei es auf die

Gelegenheit nicht ankam. Obschon Bugenhagen also ausdrücklich auf einem privaten Zusammentreffen bestanden hatte, war er keineswegs überrascht gewesen, eine Frau in Morgans Begleitung vorzufinden – nur verärgert.

Sie hieß Joan Hart und war eine auffallende Erscheinung, mit kastanienbraunem Haar und funkelnden Augen. Bugenhagen wußte nicht, was er von Frauen ihrer Art halten sollte. Als er jünger gewesen war, jung genug, um von ihrem Aussehen überwältigt zu sein, wenn auch gewiß nicht von ihrer Art, sich auszudrücken, hatte es Frauen wie Joan Hart noch gar nicht gegeben.

Sie war freiberufliche Photo-Journalistin, eine Tatsache, die sie nicht nur bei jeder sich bietenden Gelegenheit verkündete und durch einen festen Händedruck und ein geübtes Lächeln unterstrich, sondern auch durch die Art und Weise, wie sie sich anzog, hervorhob. Ihre Kleidung, offenkundig von einem Londoner Schneider zu zweifellos sündteuren Preisen maßgefertigt, zielte anscheinend darauf ab, Ernest Hemingway auf Safari in Erinnerung zu rufen. Sie trug dazu absurd große Schmuckstücke und hatte stets mehrere Photoapparate um den Hals hängen. Sie rauchte und redete ununterbrochen.

Trotz der ganzen Ausrüstung war Joan Hart jedoch nicht ausschließlich aus beruflichen Gründen in Akka. Sie war auch Michael Morgans wegen hier, der im Augenblick der wichtigste Mann in ihrem Leben war; das übrige an Interesse und Aufmerksamkeit beanspruchte freilich ihre Arbeit.

Joan Hart, gerade erst aus London, wo sie zu Hause war, mit dem Flugzeug gekommen, hatte bereits die Zeitungsschlagzeile gesehen, die Bugenhagen Morgan jetzt zeigte:

US-BOTSCHAFTER UND SEINE FRAU BEERDIGT

Morgan hatte sie auch schon gesehen, war aber nicht besonders daran interessiert gewesen, so wenig wie jetzt auch.

»Ja«, sagte er in der gleichgültigen Art, die Engländern aus der Oberschicht zur Verfügung steht, wenn sie sich bemühen, höflich zu sein, »sehr sonderbar.«

Bugenhagen zeigte ihm unbeirrt die zweite Zeitung, eine amerikanische, mit der Schlagzeile:

DER PRÄSIDENT UND SEINE FRAU TRÖSTEN TRAUERNDEN SOHN

Bugenhagen deutete mit einem kurzen, dicken Finger auf die Photographie eines sechsjährigen Jungen mit einem schwarzen Armband am Ärmel, eines Jungen, dessen Gesicht so schön und strahlend war wie die Gesichter der Cherubim, die Renaissancemaler in die Ecken von Kirchenschiffdecken gemalt haben, hoch oben, wo fast niemand sie sehen kann.

»Erkennen Sie ihn nicht?« fragte Bugenhagen.

Morgan blickte wieder auf das Bild und sah es sich genauer an.

»Nein«, sagte er schließlich.

Die Enttäuschung, nur mehr der einzige zu sein, der wußte, der einzige, der begriff, begann ihren Tribut von Bugenhagen zu fordern. Als er weitersprach, klang seine Stimme schärfer als beabsichtigt.

»Haben Sie denn Jigaels Mauer noch nicht gesehen?« fragte er.

»Sie ist erst vorige Woche freigelegt worden, Carl«, begann Morgan, aber Bugenhagen unterbrach ihn sofort. Das Bedürfnis, das Ganze ein für allemal zu erklären, gleichgültig, wie absurd und unlogisch es klang, war alles, woran Bugenhagen zu denken vermochte. *Es blieb so wenig Zeit.* Sein Finger stach wieder auf das Bild, und er sagte ganz langsam und deutlich: »Das Gesicht von Jigaels Satan ist dasselbe! Es gibt keinen Zweifel! Dieser Junge, dieser ›Damien Thorn‹, ist der *Antichrist!*«

Morgan zog in verwirrtem Protest eine Braue hoch.

»Carl –«, sagte er, aber Bugenhagen unterbrach ihn wieder.

»Sie müssen mir glauben!«

Morgans Lächeln verschwand. Die Heftigkeit in Bugenhagens Stimme, sein Gesichtsausdruck erschreckten ihn plötzlich. Das war kein lallender, alter Narr; das war sein Mentor, der Mann, von dem er alles gelernt hatte, was er wußte.

»Carl«, sagte er noch einmal mit leiserer Stimme. Er wußte selbst noch nicht genau, was aus seinem Mund kommen würde. »Ich bin Archäologe, kein religiöser Fanatiker.«

»Von welchem ihr habt *gehört,* daß er kommen werde . . .«, sagte Bugenhagen, aber plötzlich konnte er sich an den Rest nicht mehr erinnern. Er war zu müde. Seit Tagen hatte er nicht geschlafen. Er hatte sich vor dem Schlaf gefürchtet. Und nun begann ihn sein Gedächtnis im Stich zu lassen.

Morgan warf Joan einen Blick zu, bemerkte aber sofort, daß er von ihr keine Unterstützung zu erwarten hatte. Sie war von Bugenhagens Auftritt wie hypnotisiert. Er schüttelte den Kopf und wandte sich Bugenhagen wieder zu.

»Wie sehen die *Fakten* aus, Carl?«

Bugenhagen hob den Kopf.

»Vor einer Woche versuchte sein Vater ihn zu töten«, sagte er. »Auf dem Altar der Allerheiligenkirche in London. Er versuchte, dem Jungen mehrere Dolche ins Herz zu stoßen.«

Joan schauderte. Morgan griff nach seinem Glas und sah sich die Zeitungsausschnitte noch einmal in Ruhe an.

»Es gibt aber ein Nebendetail, das diese Blätter wegzulassen zu haben scheinen«, sagte er.

Bugenhagen atmete tief ein.

»Ich habe ihm die Dolche selbst gegeben«, sagte er gepreßt. »Mein Freund, Pfarrer James, war in der Kirche dabei und Zeuge des ganzen Vorfalls. Er rief mich eigens an, um mir zu berichten. Er erkannte die antiken Dolche und überredete die amerikanische Botschaft dazu, sie von der Polizei zurückzufordern, damit sie mir zurückgegeben werden können.«

In der langanhaltenden Stille danach starrte Morgan ihn nur an, das Glas auf halbem Weg zum Mund. Joans Blick war auch an ihm festgebannt. Bugenhagen wußte, daß er jetzt ihre ganze Aufmerksamkeit hatte, und er sprach mit Nachdruck hastig weiter, um alles anzubringen, solange der Schock seiner Mitteilung sie noch gefangenhielt.

»Der Botschafter hieß Robert Thorn«, fuhr er fort. »Als seine Frau in einer Klinik in Rom ihr Baby verlor, nahm er auf Drängen eines Mannes hin, der sich als Priester ausgab, in Wirklichkeit aber ein Apostel des Antichrist war, ein neugeborenes Kind an. Thorn gab das Kind seiner Frau, die nicht wußte, daß ihr eigenes gestorben war, und ließ sie in dem Glauben, es *sei* ihr eigenes. Sie liebten das Kind und zogen es in London auf – ohne zu ahnen, daß es von einer Handlangerin geboren war!« Bugenhagen schluckte und fuhr fort: »Bald fing es an, alle zu vernichten, die seiner wahren Natur auf die Spur kamen, und Thorn suchte bei mir Hilfe. Ich hörte mir seine Geschichte an und wußte sofort, daß er die Wahrheit sagte, weil ich schon lange zuvor Zeichen dafür erhalten hatte, daß ich eines Tages derjenige sein würde, welcher würde handeln müssen. Ich gab Thorn die sieben antiken Dolche, die Waffen, die nötig sind, um das Herz des Teufels zu durchstoßen. Inzwischen war Thorns Frau tot, ebenso wie zwei andere arme Seelen, die hinter die Wahrheit gekommen waren.« Bugenhagen ließ den Kopf sinken. »Bevor Thorn das Herz seines Teufelssohnes durchstoßen konnte, brachte ihn die Polizei um, in der Annahme, er habe aus Gram über den Tod seiner Frau den Verstand verloren.« Bugenhagen deutete wieder auf die Aufnahme. »*Das Kind lebt noch immer!*«

Nach langer Zeit fragte Morgan: »Wo ist er jetzt?«

»In Amerika«, antwortete Bugenhagen, »bei seinem Onkel, dem Bruder seines Vaters. Wo er, wie geschrieben steht, große Macht haben und die Mächtigen und Heiligen vernichten wird.«

Joan Hart, ganz Journalistin, war außer sich.

»Oh, Michael«, sagte sie, »fliegen wir nach Amerika!«

»Sei still!« stieß Morgan hervor. Hier ging es nicht um einen Zeitungsknüller. Wenn in dem, was Bugenhagen gesagt hatte, auch nur ein Körnchen Wahrheit steckte, war es Frevel, das Ganze auf die leichte Schulter zu nehmen.

Bugenhagen griff unter den Tisch und hob einen wunderbar verzierten alten Lederbeutel mit mehreren Taschen und vielen Gurten und Schnallen auf. Es klirrte, als er ihn auf den Tisch stellte.

»Das müssen Sie den neuen Pflegeeltern des Jungen bringen«, sagte er. »Der Beutel enthält die Dolche und einen Brief, der alles erklärt.«

Morgan dachte über Bugenhagens Forderung nach. Es war *eine* Sache, die Geschichte von jemandem zu hören, der von ihrer Wahrheit überzeugt war, und sich von der Macht seiner Persönlichkeit beeinflussen zu lassen; es war eine ganz *andere* Sache, die Geschichte selbst zu verbreiten.

»Bedaure, Carl«, sagte er kopfschüttelnd, »Sie können von mir nicht verlangen, daß ich einfach . . .«

»Sie müssen gewarnt werden!« rief Bugenhagen. Die Leute am Nebentisch drehten neugierig die Köpfe. Bugenhagen senkte die Stimme zu einem heiseren Flüstern: »Ich bin zu alt und zu krank. Ich kann das nicht selbst übernehmen. Und da ich der einzige bin, der die Wahrheit kennt, muß ich . . .« Der Gedanke schien ihm so furchtbar zu sein, daß er ihn nicht auszusprechen vermochte.

»Müssen Sie was?« sagte Morgan.

Bugenhagen starrte in sein Glas.

». . . bleiben, wo ich in Sicherheit bin«, antwortete er.

Morgan schüttelte betrübt den Kopf.

»Mein lieber Freund«, erklärte er seufzend. Bugenhagen wußte, was Morgan sagen würde, bevor es noch ausgesprochen war. »Ich habe einen Ruf«, fuhr Morgan fort, aber Bugenhagen fuhr ihm sofort in die Parade: »Deshalb *müssen* Sie es sein! Auf Sie wird man hören!«

Morgan begann sich entnervt zu fühlen.

»Na, hören Sie, Carl«, sagte er, »man wird mich in eine Heilanstalt einliefern.«

Bugenhagen stand auf. Vor dem Licht der untergehenden Sonne, das seinen Prophetenbart einrahmte, sah er wild, wahnsinnig und heilig aus.

»Kommen Sie mit zu Jigaels Mauer!« sagte er. Es war ein Befehl, in einem Ton gesprochen, wie Morgan ihn noch nie gehört hatte. An Widerstand war nicht zu denken.

»Jetzt gleich?« fragte er leise, obwohl er die Antwort kannte.

»Jetzt gleich«, sagte Bugenhagen, drehte sich um und ging hinaus zu seinem Jeep.

Joan kam sich vor wie ausgeschlossen.

»Darf ich auch mitkommen?« fragte sie mit ihrem gewinnendsten Lächeln.

Morgan schüttelte den Kopf.

»Warum wartest du nicht im Hotel auf mich? Es wird nicht

lange dauern.« Er beugte sich vor und küßte sie, dann stand er auf.

»Na gut«, erwiderte sie seufzend. »Aber ich sage dir gleich – ewig warte ich nicht.«

Er lachte und warf ihr eine Kußhand zu, dann verschwand er um die Ecke.

Das war das letzte Mal, daß Joan Hart Michael Morgan sah, obwohl sie lange brauchte, um sich damit abzufinden, und noch länger, den Grund zu begreifen.

Die uralte Burg Belvoir stand über dem Ende des Cebulan-Tales, nicht weit von Akka entfernt. Es gab sie seit dem zwölften Jahrhundert, als die Kreuzritter, die sich nach dem Kreuz Christi benannt hatten, von Europa herübergekommen waren, um den Moslems das Heilige Land zu entreißen. Sie erbauten die Burg in Seinem Namen. Und in der Ruine der Burg fand Bugenhagen den Beweis, den er brauchte – daß der Antichrist unter uns lebte. *Jetzt.*

Langhaarschafe weideten zwischen den verfallenden Mauern und Bogenhängen, als das ferne Brummen eines Jeeps sie veranlaßte, die Köpfe zu heben und mit den Ohren zu zucken. Morgendämmerung; die Sonne stieg blutrot über dem Tal empor und ließ lange Schatten über die Landschaft huschen. Als der Jeep eine Bergkuppe überwand und in ihre Richtung brauste, stoben die Schafe auseinander, und ihre Glöckchen bimmelten durcheinander, als riefen sie Gläubige zum Gebet.

Der Jeep hielt vor der Mauerruine; Bugenhagen und Morgan stiegen aus. Es war kalt in der Morgenluft, aber nur Morgan schien es zu bemerken. Bugenhagen kramte einen zweiten Schutzhelm aus dem Gewirr von Ausrüstungsgegenständen im Jeep. Dort, wo sie hingingen, brauchten sie *beide* einen Helm. Es war zu dunkel, um sich auf das Licht nur einer Lampe zu verlassen, und zu gefährlich ohne Kopfschutz.

Was beide Männer nicht bemerkten, war ein großer, schwarzer Rabe, der auf dem höchsten Mauerstück hockte und sie mit leeren, bösartigen Augen betrachtete.

Bugenhagen und Morgan gingen durch die riesige, dunkle Banketthalle der Burg, vorbei an den sechs 15 Meter hohen Säulen. In den Winkeln nisteten Fledermäuse. Der alte Mann preßte den Beutel an seine Brust, als fürchte er, man wolle ihn ihm entreißen. Die beiden Männer schalteten ihre Kopflampen ein und begannen den Abstieg auf den ausgetretenen Stufen hinab in die unterirdischen Tiefen der archäologischen Grabungsstätte.

Nicht lange vorher waren andere hier gewesen. Man hatte an den neuesten Ausgrabungen Bretter ausgelegt, um Schlamm und Gräben leichter überwinden zu können. An den Wänden waren moderne Gerätschaften und uralte Funde aufgereiht, widersinnig nebeneinander, beides unter dem gleichen unpersönlichen Plastikschutz.

Dann sah Morgan etwas, das ihn beinahe erstarren ließ – ein Bildwerk, gleichzeitig so obszön und verführerisch schön, daß ihm der Atem stockte. Es war die Statue einer Frau, die auf einem scharlachroten Tier saß. Das Tier hatte sieben scheußliche Köpfe und zehn grauenhafte Hörner und war bedeckt mit Wörtern, eingemeißelten Wörtern in Sprachen, die jahrtausendelang niemand mehr gesprochen hatte.

Morgan mochte Skeptiker sein, ein Narr war er nicht. Er wußte genau, was er vor sich hatte.

»Die Hure von Babylon«, sagte er laut. Der schreckliche Name hallte von den Wänden wider.

Er hob den Kopf und sah Bugenhagen durch eine Öffnung

in der Mauer verschwinden. Bugenhagen hatte ihn nicht gehört. Morgan fröstelte unwillkürlich und folgte ihm. Er hatte keine Lust, mit der Statue der Hure von Babylon im Dunkeln alleingelassen zu werden.

Und in der nächsten Kammer war sie: Jigaels Mauer. Bugenhagens Kopflampe beleuchtete das Werk eines Künstlers, der, nachdem er Nacht für Nacht mit dem grauenhaften, ewig wandelbaren Gesicht Satans konfrontiert gewesen war, zum Genialen und in den Wahnsinn getrieben worden war.

Auf dem größten Bild war Satan in seiner furchterregenden Reife zu sehen, schon hinabgestürzt ins Chaos. Er klammerte sich an die Wand eines Abgrunds, die muskulösen Arme und Beine überdehnt von der Anstrengung, die riesenhaften Fledermausflügel weit gespreizt. Sein Gesicht war weggemeißelt und nicht mehr klar zu erkennen.

Es gab ein zweites Porträt, frontal, und aus dem Schädel ragten Schlangen mit gespaltenen Zungen, anstelle von Haaren. Auch dieses Gesicht wirkte ungeformt und verschwommen.

Aber dann kam noch ein drittes, ein kleineres Bild – Satan als Kind. Auf diesem Bild war das Gesicht mit aller wünschenswerten Klarheit zu erkennen. Es war ein Gesicht, schön wie das eines Cherubs. Es war das Gesicht des Jungen in der Zeitung. Es war das Gesicht Damien Thorns.

»Das wird Sie überzeugen«, sagte Bugenhagen.

Als Morgan fasziniert an die Wand herantrat, angezogen von der Macht der Darstellung, fegte plötzlich ein Laut wie der Knall einer überlangen Rindlederpeitsche durch den Tunnel, gefolgt von einem tiefen, drohenden Grollen. Morgan taumelte zurück zu Bugenhagen. Die beiden Männer erstarrten. Eine Ewigkeit schien zu verrinnen.

Dann gab die Tunneldecke vor ihnen plötzlich nach und

krachte als Lawine von Gestein und Erde herunter. Der Staub wirbelte in dichten Wolken auf, und Morgan begann erstickt zu husten. Bugenhagen blieb ruhig. Als Morgans Hustenanfall vorüber war, wandte er sich Bugenhagen zu und fragte: »Gibt es noch einen anderen Weg nach draußen?«

Bugenhagen schüttelte den Kopf. Langsam stieg Entsetzen in ihm empor. Er begriff, warum das jetzt geschah, und sah im selben Augenblick ein, daß es nichts gab, was sie dagegen hätten tun können.

Wieder ertönte ein ohrenbetäubendes Krachen, wieder grollte es, und die Decke hinter ihnen stürzte ein. Der freie Raum im Tunnel war nur noch eineinhalb Meter breit. Er war zu ihrem Grab geworden.

In der Totenstille danach starrte Morgan den alten Mann voll Entsetzen an. Bugenhagen hatte resigniert die Augen geschlossen. Er bereitete sich auf den Tod vor.

Dann kam ein neues Geräusch: leise, unheimlich, unerbittlich. Zunächst erkannte Morgan den Ursprung nicht, aber dann sah er aus einem winzigen Loch in der Decke Sand herabströmen. Dann waren es zwei Löcher. Dann vier. Dann zwölf. Bald regnete es Sand. Der Sand rann in ihre Augen und Münder, häufte sich auf ihren Stiefeln.

Morgan begriff endlich, daß er sterben mußte. Er senkte den Blick, und da, zu seinen Füßen, lag die Hure von Babylon. Der herabstürzende Sand begann die Statue bereits zu bedecken. Obwohl Morgan wußte, daß es sinnlos war, fing er an, wild im Sand und Schutt zu graben. Knöchel und Fingerspitzen wurden blutig, und er begann zu weinen.

»Der Antichrist ist bei uns!« schrie Bugenhagen, das Rauschen der Sandströme übertönend. »Überlaß dich Gott!«

Draußen wankten, wie in blasphemischer Antwort, die Mauern und Säulen der Burg und begannen zu zerfallen. Tief unten verstärkte sich das Grollen zu einem grauenhaften Brausen. Morgan stöhnte, während er an der Steinmauer scharrte, die zwischen ihm und dem rettenden Weg ins Freie stand, aber der Sand reichte schon bis zu seinen Hüften und stieg rasch höher.

Bugenhagens Augen blieben geschlossen.

». . . und es ward ihm gegeben, daß er dem Bilde des Tiers den Geist gab, daß des Tiers Bild redete und machte, daß, welche *nicht* des Tiers Bild anbeteten, ertötet würden.«« Bugenhagen verstummte für einen Augenblick, dann fügte er hinzu: »Segne uns, Jesus Christus, und vergib uns . . .«

Der Sand reichte nun bis zu ihrem Kinn. Morgan wimmerte wie ein verängstigtes Tier. Bugenhagen betete weiter.

». . . die Kräfte des Bösen mögen uns zu überwältigen scheinen und triumphieren, aber *das Gute wird siegen.* Denn im Buch der Offenbarung steht geschrieben: ›. . . und der Teufel ward geworfen in den feurigen Pfuhl und Schwefel, da auch das Tier und der falsche Prophet war; und werden gequälet werden Tag und Nacht, von Ewigkeit zu Ewigkeit . . .‹«

Der Sand stieg über ihre Münder und über ihre Nasen und über ihre Augen, und als er über ihre Stirnen stieg, wurden ihre Lampen mit einem Schlag gelöscht, und es blieb die schwarze Leere, das Nichts, der Tod.

Ein letztes, donnerndes Schwanken ließ den Rest der Ruine in einer Flut von Schutt und Stein zusammenstürzen.

Zwei Dinge blieben. Die Mauer des wahnsinnigen Malers Jigael – das einzige Beweisstück – war wie durch ein Wunder unversehrt geblieben. Und davor, im Schutt tief unter der Erde, lag Bugenhagens Lederbeutel. Es war, als hätte irgendeine *andere* Kraft, ebenso mächtig wie die auf der Mauer dargestellte, gewirkt und Spuren ihres Wirkens hinterlassen.

An der Oberfläche erhob sich aus dem Rauch- und Schutt-pilz mit mächtigen Flügelschlägen der Rabe, wie ein ge-schwärzter Phönix aus der Asche wiedererstanden. Er um-kreiste die Ruinen mit einem grauenhaften, triumphierenden Kreischen, dann flog er davon in die aufgehende Sonne und verschwand im Morgendunst.

I

Das Gesicht des Jungen schimmerte hell im Licht der kni-sternden Flammen. Es war ein schönes Gesicht, wenngleich für einen noch nicht ganz Dreizehnjährigen übermäßig ernst. Die Augen wirkten bohrend und versonnen, als sie durch die zunehmende Dämmerung in die Flammen des Gartenfeuers starrten. Er versuchte sich zu erinnern. Ein primitiver Schmerz zerrte an ihm, ein Gefühl tief verborgener Weisheit, einer Zeit, die längst vergessen war . . .

»Damien?«

Er bewegte sich nicht. Er hörte den Ruf nicht einmal. Für den Augenblick war er in einer anderen Zeit, an einem ande-ren Ort gefangen. Die Gärtner harkten rings um ihn weiter das tote Laub zusammen, ohne den Gedankengang des ver-sunken vor dem Feuer stehenden Jungen stören zu wollen.

In Wahrheit stand er vor einem großen Gartenfeuer am North Shore von Chicago, in der Mitte einer großen Rasen-fläche, die sich in der einen Richtung erstreckte, fast soweit das Auge reichte, und in der anderen vor einem riesigen, alten Herrenhaus endete. Das beinahe palastartige Gebäude war das Heim seiner Tante und seines Onkels, die jetzt seine Pfle-geeltern waren.

Aber in seinen Gedanken stand er inmitten greller, ewiger Flammen, umgeben von unaufhörlichem Stöhnen und Heulen – von den Schreien jener, die Furchtbares erlitten und deren Qual um so unerträglicher war, als sie wußten, daß sie niemals enden würde.

»DAMIEN!«

Die Vision verschwand. Damien Thorn schüttelte den Kopf und wandte sich der Richtung zu, aus der die Stimme gekommen war. Er mußte mit zusammengekniffenen Augen in die Sonne blicken, die langsam hinter dem vergoldeten Dach unterging. Hoch oben auf einem Balkon im zweiten Stockwerk winkte ihm sein Vetter Mark aufgeregt.

Damien mochte Mark. Mark war immer freundlich, immer großzügig, und er hatte vor sieben Jahren, als Damien in die Familie aufgenommen worden war, sich sehr bemüht, ihn willkommen zu heißen. Die beiden verstanden sich jetzt besser als selbst die meisten Zwillingspaare. Beide trugen die makellos gebügelten Uniformen der Militärakademie, die sie besuchten. Sie waren über das lange Erntedankfest-Wochenende nach Hause gekommen, und nun war es Zeit, wieder in die Schule zurückzukehren. Das Erntedankfest war immer ein eher trauriger Feiertag, weil die Thorns ihre Sommerresidenz danach schlossen und für den Winter in die Stadt zogen. Bis zum kommenden Juni war es also wieder einmal zu Ende.

Damien winkte zu Mark hinauf.

»Ich komme!« schrie er, dann drehte er sich um und schüttelte dem Obergärtner die Hand. »Bis zum nächsten Sommer, Jim.« Der Alte hatte kaum zum Abschied genickt, als Damien mit der Kraft und Gewandtheit eines geborenen Athleten über den Rasen zu den massiven Eingangstüren des Hauses lief.

Mark hob sein Horn an die Lippen, beugte sich über den

Balkon und blies als melancholische Begleitung den Zapfen-streich in den dunkelnden Abend hinein.

Damien lief auf das Haus zu, ein Junge kurz vor seinem dreizehnten Lebensjahr, dem Alter, in dem, wie man Jahrtau-sende hindurch in den meisten Kulturen geglaubt hatte, er die volle Reife der Mannheit erlangen würde.

Reginald Thorn, Damiens Großvater väterlicherseits, hatte dieses Grundstück am Michigan-See nördlich von Chicago in den zwanziger Jahren entdeckt. Er hatte mit einem Teil des Geldes, das er als Munitionsfabrikant im Ersten Weltkrieg verdient hatte, einen Palast erbaut. Die Leute hatten ihn da-mals für verrückt erklärt. Erst Jahre später, als Autos und Po-litiker dafür sorgten, daß der Outer Drive gebaut wurde, be-eilten sich alle, die das nötige Geld besaßen, am North Shore zu bauen. Aber kein einziger baute ein so großartiges Haus, wie Thorn es hatte errichten lassen.

Thorn hatte immer erklärt, er baue das Haus für seine Söhne Robert und Richard. Diejenigen, welche Thorn benei-deten und sich keine Gelegenheit entgehen ließen, ihn zu ver-leumden oder zu verspotten, behaupteten, er habe seine Söhne nur deshalb Richard und Robert genannt, damit sie alle dasselbe Monogramm auf Silberbestecken, Badetüchern und Hemden haben konnten. Thorn bestritt das nie, und es war durchaus vorstellbar, denn Thorn war geizig, wie so viele reiche Männer, die sich zur Spitze vorgearbeitet haben. Mit der Bezahlung seiner Rechnungen hatte Reginald Thorn es je-denfalls nie eilig gehabt.

Thorn betete seine beiden Söhne an und tat für sie, was er konnte, weil sie für ihn eine Art von Unsterblichkeit darstell-ten. Als man sie nicht in die exklusive Davidson-Militärschule aufnehmen wollte, weil ihr Vater »im Handel« tätig sei, spendete Thorn soviel Geld, daß man eine neue Turnhalle bauen konnte. Die beiden Jungen wurden daraufhin sofort aufgenommen und schlossen die Schule mit Auszeichnung ab.

Thorn kam nie auf den Gedanken, er könne seinen Söhnen dadurch schaden, daß er ihnen das Leben so leicht machte. Er wußte nur, daß das Beste für sie gerade gut genug war. Immer und überall.

Robert, der ältere, wandte sich dem diplomatischen Dienst zu, Richard trat in das väterliche Unternehmen ein. Thorn war mit beidem zufrieden. Alles verlief so, wie es sich gehörte. Während Robert viele Freunde gewann und sich in der Welt der Politik tummelte und während Richard den Thorn-Konzern übernahm, hatte ihr Vater Zeit, seinen Wünschen leben zu können. Großzügig richtete er zahllose Stipendien, Zuwendungen und Stiftungen ein, viele davon in enger Beziehung zu seiner großen Leidenschaft, der Archäologie. Kurz vor seinem Tod plante er, im Zentrum von Chicago ein großes, neues Museum bauen zu lassen, ein Museum, das allein der Sammlung und Ausstellung von alten christlichen Artefakten gewidmet sein sollte.

Die Fertigstellung des Museums erlebte er nicht mehr, und er wurde auch nicht mehr Zeuge, wie der Thorn-Konzern zum mächtigsten Multi der Welt wurde.

Zu seinem Glück erlebte er aber auch nicht mehr, wie sein Sohn Robert, Botschafter am Hof von St. James, auf dem Gipfel seiner Laufbahn am Altar einer Kirche niedergeschossen wurde, wo er dem Anschein nach versucht hatte, seinen eigenen jungen Sohn zu ermorden, kurz nach dem tragischen und unerklärlichen Selbstmord seiner geliebten Frau.

Niemand wußte, wieviel Damien von diesem grauen Nachmittag in London vor sieben Jahren noch in Erinnerung hatte, als sein Vater ihn, während der Junge schrie und sich verzweifelt wehrte, in eine Kirche geschleift hatte, um ihm ein Bündel Dolche in das kleine, wild zuckende Herz zu stoßen – bis ihn die Kugel eines britischen Polizeirevolvers niedergestreckt hatte. Obwohl Damien sich an nichts zu erinnern schien, war das Erlebnis offenbar von tiefer Wirkung gewesen, und Richard ließ keinerlei Diskussionen über das Thema zu. Richards zweite Frau Ann war eine Amateur-Kinderpsychologin. Sie war überzeugt davon, daß das Ereignis tief in Damiens Unbewußtem vergraben war und es nur eine Frage der Zeit sein konnte, bis die Erinnerung wieder an die Oberfläche kam und zu den absonderlichen Verhaltensweisen führen mußte. Richard wollte nichts davon hören, wenn sie ihm gegenüber diese Befürchtungen zum Ausdruck brachte. Hatte denn der Junge nicht alles, was sein Herz begehrte?

Mark hatte nichts weiter erfahren, als daß Damiens Eltern bei einem schrecklichen Unfall ums Leben gekommen seien und er mit Damien niemals darüber sprechen dürfe.

Das einzige Familienmitglied, das der Überzeugung war, daß Damien sich klar und deutlich an alles erinnerte, war Marion Thorn. Tante Marion, wie sie von allen genannt wurde, war die einzige noch lebende Schwester Reginald Thorns. Sie war ein seltener, sonderbarer Vogel, ihrer schrullenhaften und halsstarrigen Art wegen bei allen ebenso unbeliebt wie wegen ihrer Neigung, sich in alles einzumischen. Sie hatte nie geheiratet, weil nach ihrer Meinung alle Bewerber es nur auf ihr Geld abgesehen hatten, und ihre ganze Aufmerksamkeit ihren Neffen und deren Familien gewidmet. Ihren Neffen Robert hatte sie stets bevorzugt, in erster Linie deshalb, weil er das Familienunternehmen verlassen hatte, um etwas anderes zu tun. Die Nachricht von seinem plötzlichen, tragischen Tod hatte sie zermalmt, und sie hatte ihn Damien nie verziehen. Sie *wußte*, daß Damien auf irgendeine Weise die Verantwortung dafür trug, wenn auch nicht, wie oder warum.

Der einzige Grund, weshalb man sie überhaupt ertrug, war der, daß sie über einen beträchtlichen Anteil am Thorn-Konzern zu verfügen hatte, der ihr von Reginald in einem Anfall unverantwortlicher Großzügigkeit überlassen worden war. Sie hatte demzufolge stets ein hohes Einkommen zu verzeichnen und war keinem ihrer Verwandten zur Last gefallen. Die Tatsache, daß sie über ein so großes Aktienpaket zu verfügen hatte, stellte, solange sie lebte, kein großes Problem dar, da sie sich in keiner Weise für die Leitung des Unternehmens interessierte. Bei ihrem Tod, der immerhin bald eintreten mochte, würde sie jedoch einige Aufregung verursachen, wenn es ihr einfallen sollte, auf unvernünftige Weise mit ihrem Anteil zu verfahren. Wenn es ihr beliebte, konnte sie sogar die Grundlagen der Entscheidungsgewalt im Unternehmen entscheidend verändern.

Tante Marion wußte, daß sie nicht geliebt wurde, aber das machte ihr nichts aus. Beliebt war sie nie gewesen. Sie wurde selten zu anderen Leuten zum Essen eingeladen, sogar von ihren Verwandten an hohen Feiertagen nicht.

In diesem Jahr hatte Tante Marion jedoch etwas ganz Konkretes und Wichtiges mitzuteilen, so daß sie ihren Stolz überwand und sich über das Erntedankfest-Wochenende selbst zu Richard Thorn einlud.

An diesem Sonntagabend verfolgte Tante Marion, wie die beiden Jungen sich in der Eingangshalle verabschiedeten. Die Türen standen weit offen, damit Murray, der Chauffeur, genug Platz hatte, das Gepäck der beiden zur Limousine hinauszutragen. Es war immer dasselbe – die Jungen kamen mit zwei Koffern an und reisten mit sechs Koffern ab. Ein kalter Luftzug wehte durch die Halle, und Richard Thorn, ein gutaussehender, dunkelhaariger Mann Ende Fünfzig, stand ein wenig abseits und bewegte die Arme, um sich warmzuhalten. Er wollte Ann Zeit lassen, sich von den Jungen zu verabschieden. Es war nicht leicht für sie gewesen, in eine so wohlhabende und traditionsverpflichtete Familie wie die der Thorns einzuheiraten. Großer Reichtum schafft Komplikationen, wie alles, das im Übermaß auftritt. Keiner der Jungen war ihr eigenes Kind; Marks Mutter, eine bezaubernd schöne Frau, Richards Alter viel näher als Ann, war knapp ein Jahr, bevor Damien zu Richard gekommen war, einem Autounfall zum Opfer gefallen. Richard hatte sich einige Monate nach dem Unfall um den sechsjährigen Mark kümmern müssen, und bald danach war Damien eingetroffen. Richards Freunde und Verwandte hatten erleichtert von seiner Hochzeit mit Ann erfahren; jeder hatte begriffen, daß er jemanden brauchte, um die beiden Jungen aufzuziehen. Ann war eine kluge, witzige, attraktive Frau, voller Energie und Fröhlichkeit. Sie verströmte ein Übermaß an Liebe und Hingabe für die von Tragik heimgesuchte Familie, in die sie eingeheiratet hatte. Damien schloß sich sofort an sie an; bei Mark hatte es etwas länger gedauert – aber das lag an der Erinnerung an seine Mutter, die er angebetet hatte.

Nun stand, sieben Jahre danach, Ann unter der Tür, umarmte beide Jungen gleichzeitig, küßte sie auf die Stirn, nahm ihnen das Versprechen ab, brav zu sein und zu schreiben, während sie sich Mühe geben mußte, nicht zu weinen. Richard schaute zu und wurde plötzlich von seiner Liebe zu dieser bemerkenswerten Frau überwältigt, die in einer so schweren und verzweifelten Zeit in sein Leben getreten war.

Richard Thorn (William Holden) und seine Frau Ann (Lee Grant) vor
ihrem palastartigen Sommerhaus in der Nähe von Chicago.

Mark machte sich los und lief zu seinem Vater, um ihn noch einmal zu umarmen.

»Zum Geburtstag sehen wir uns, ja, Papa?«

»Ganz klar. Damien? Komm her und drück deinen alten Herrn.« Damien eilte heran, wenn auch nicht ganz so stürmisch wie Mark. Während sie einander umarmten, erschien Murray unter der Tür und hüstelte diskret.

Ann lachte. ·

»Schon verstanden, Murray«, sagte sie und ging auf Richard und die Jungen zu. Ihre Männer. »Okay, Leute, es ist Zeit.« Nach weiteren Umarmungen und Küssen stiegen die beiden schließlich ins Auto. Türen wurden zugeworfen, Nasen an die kalten Fensterscheiben gepreßt, dann fuhr der Wagen knirschend auf dem Kies davon.

Richard und Ann standen auf den Eingangsstufen und winkten, bis der Wagen hinter einer Biegung verschwand.

Als Ann mit Richard ins Haus gehen wollte, sah sie, daß Tante Marion im ersten Stock an ihrem Schlafzimmerfenster stand und dem Auto nachsah. Als Ann hinaufblickte, wich Tante Marion jedoch sofort zurück und ließ den Vorhang fallen.

Damien lehnte sich behaglich in die Polster zurück.

»O Mann!« sagte er und pfiff durch die Zähne.

»Du sagst es«, meinte Mark. »Was für ein Wochenende! Ich hätte *schreien* können!«

»Das machen wir jetzt«, erklärte Damien, und sie taten es beide so sehr, daß Murrays Trommelfelle beinahe platzten.

»Murray«, sagte Damien, als das Gebrüll verstummt war, »gib uns eine Zigarette.«

Murray schüttelte vor dem Rückspiegel den Kopf.

»Die Antwort darauf kennst du doch, Damien.«

Damien zuckte die Achseln.

»Wer nicht fragt, erfährt nichts.« Plötzlich drehte er sich um und machte in Richtung Haus eine lange Nase. »Tante Marion!« rief er. »Für di-hich!«

Mark stieß quäkend in sein Horn.

»Mein Gott«, sagte er, »ist die schrecklich. Warum haben sie sie bloß herkommen lassen?«

»Damit sie uns mit dem Finger drohen, uns kritisieren und uns das ganze Wochenende verderben kann, deshalb«, sagte Damien.

»Wenigstens müssen wir heute abend nicht mehr mit ihr am Tisch sitzen. Sie muß mindestens hundert Jahre alt sein. Und was stinkt da eigentlich immer so?«

»Das ist Lavendel, du Frosch«, sagte Damien. »Alle alten Damen sprühen sich damit ein.«

»Na hört mal«, sagte Murray, »nur weil die Frau anfängt –«

»Einem auf die Nerven zu gehen«, ergänzte Mark spitz.

»Murray hat recht«, sagte Damien plötzlich, über sich selbst erstaunt.

Mark sah ihn entgeistert an.

»Die arme Frau hat ihre Zeit hinter sich«, hörte Damien sich sagen. »Wir sollten uns nicht über sie lustig machen.«

Mark blieb vor Verwunderung stumm. Murray brach das Schweigen endlich, indem er das Thema wechselte.

»Habt ihr schon euren neuen Zugführer kennengelernt?« fragte er.

Sie schüttelten die Köpfe.

»Ich hatte gehofft, daß sie keinen mehr finden«, meinte Mark.

Damien kicherte, und Mark lächelte ihn an.

»Hat man euch überhaupt erzählt, was mit Sergeant Goodrich geschehen ist?« fragte Murray.

»Nee«, sagte Damien und gab Mark einen Rippenstoß.

»Es heißt, er hätte Selbstmord begangen.« Murray blickte in den Rückspiegel. Die Jungen schienen unberührt zu sein.

»Na ja«, sagte Damien, »wenn man einen Zugführer kennt, kennt man alle.« Und er bellte eine Reihe von Befehlen: »*A*-*ach*-tung! Augen gerade-*aus*! Ohren zurück! Bauch hinein! Hintern *raus!*« Die beiden Jungen brüllten vor Lachen. Mark sah seinen Vetter voll Zuneigung an.

»Du bist verrückt, weißt du das?«

Damien nickte, dann beugte er sich hinüber und flüsterte verschwörerhaft: »Ich *übe!*«

Mark quietschte.

»Ich auch!« Er wedelte mit seinem Horn herum.

»Noch einen für Tante Marion!« rief Damien.

Mark ließ sich das nicht zweimal sagen und blies einen grauenhaft disharmonischen Ton auf seinem geliebten Horn, der trotzdem klar und beinahe bedrohlich klang; er hing lange in der Luft, nachdem das Auto in der Dunkelheit der Landschaft von Illinois verschwunden war.

Der Tisch im Speisezimmer war groß genug für zwölf Personen, aber an diesem Abend hatten nur vier Platz genommen. Richard Thorn saß an der Schmalseite, seine Frau links neben sich, Tante Marion rechts, und neben dieser ein etwas zerknittert aussehender älterer Mann namens Dr. Charles Warren, der Kurator des Thorn-Museums, eine der größten Autoritäten der Welt, was frühchristliche Kunstgegenstände betraf.

Der Butler, der eben hereingekommen war, um zu fragen, ob noch jemand Kaffee wünsche, sah Richards Miene und zog sich augenblicklich wieder zurück. Tante Marion war im Begriff, zu einem ihrer Feldzüge anzusetzen, und Richard wollte vermeiden, daß das Personal noch mehr mitbekam als bisher schon.

»Es ist spät, und ich bin müde«, begann Tante Marion und richtete den Blick auf die drei Tischgenossen, um sich zu vergewissern, daß alle Aufmerksamkeit ihr galt. »Ich will deshalb rasch zur Sache kommen. Ich werde alt und sterbe bald.« Sie sah Ann ins Gesicht. »Deine Seufzer der Erleichterung kannst du dir für später aufsparen.« Ann wollte widersprechen, aber Tante Marion fuhr fort: »Ich besitze siebenundzwanzig Prozent des Thorn-Konzerns und habe das Recht, darüber nach meinem Gutdünken zu befinden.«

»Das wissen wir«, sagte Richard automatisch.

»Du weißt auch, daß ich im Augenblick alles dir vermacht habe, Richard«, fuhr Marion fort. Er nickte.

»Ich möchte dir heute abend etwas klarmachen«, fuhr sie fort. »Wenn du nicht tust, was ich verlange –«

Thorn warf seine Serviette hin. Nichts war ihm so verhaßt wie ein Erpressungsversuch.

»Hör auf, mir zu drohen, Marion!« erregte er sich. »Es geht mir nicht um –«

»Es kann dir nicht gleichgültig sein, wenn es um einen Betrag von rund drei Milliarden Dollar geht!« unterbrach sie ihn.

Dr. Warren stand auf, offenkundig peinlich berührt.

»Ich möchte mich doch entschuldigen –«, begann er und wollte den Tisch verlassen.

»Sie sind hier, weil Sie Kurator des Thorn-Museums sind, Doktor Warren«, sagte Tante Marion. »Und auch davon gehören siebenundzwanzig Prozent mir.«

Warren setzte sich wieder.

Tante Marion fühlte sich außerordentlich wohl. Sie wußte, daß alle Aufmerksamkeit auf sie gerichtet war. Sie spürte

Anns durchdringenden Blick, aber da sie längst wußte, daß Ann sie nicht leiden konnte, störte sie das nicht. Sie hatte Ann von Anfang an nicht gemocht. Sie beugte sich vor und erklärte ganz langsam und deutlich: »Ich wünsche, daß du die Jungen aus der Militärakademie nimmst und in getrennte Schulen schickst.«

Es blieb lange Zeit still, bis Ann ruhig und sachlich sagte: »Was die Jungen betrifft, ist mir gleichgültig, was du wünschst. Es sind nicht deine Söhne, sondern unsere.«

Genau auf diese Antwort hatte Marion gewartet.

»Darf ich dich daran erinnern, daß beide nicht *deine* Kinder sind«, sagte sie mit einem schwachen Lächeln. »Mark ist Richards Sohn aus seiner ersten Ehe, und Damien ist der Sohn seines Bruders.«

Ann bebte vor Zorn. Sie hielt die Tränen nur mit Mühe zurück. Plötzlich schob sie ihren Stuhl zurück und stand auf.

»Danke«, zischte sie, »vielen, herzlichen Dank!«

Richard griff nach ihrem Arm und drückte sie sanft auf den Stuhl zurück, dann sah er Marion an.

»Was soll denn das Ganze eigentlich?«

»Schaff Mark von Damien weg«, sagte die alte Frau scharf. »Sie gehören nicht zusammen. Damien übt einen schrecklichen Einfluß aus, siehst du denn das nicht? Willst du Mark ruinieren, ihn *kaputt machen?*«

Richard sprang auf.

»Das genügt«, sagte er. »Ich bringe dich auf dein Zimmer.«

Tante Marion stand auf und starrte ihn an.

»Du bist blind, Richard, du willst nicht sehen!« Sie griff nach seinen Händen. »Du weißt, daß dein Bruder versucht hat, Damien umzubringen –«

Dr. Warren machte ein entsetztes Gesicht. Er wußte von den Hintergründen nichts.

Ann sprang erneut auf und schrie: »Schaff sie hier weg, Richard! Schaff sie *weg!*«

Marion ließ sich nicht beirren.

»Warum hat er versucht, Damien zu töten? Antworte mir! Sag die *Wahrheit!*«

Richard vermochte sich kaum noch zu beherrschen.

»Robert war *krank*«, sagte er mit zusammengebissenen Zähnen. »Geistig –«

»Hör auf!« rief Ann. »*Sprich* doch nicht mit ihr!«

Dr. Warren wußte nicht, was er tun sollte. Er war gleichzeitig zutiefst verlegen und fasziniert. Er zerrte an seiner Serviette und versuchte so zu tun, als sei er unsichtbar.

Tante Marion atmete tief ein und sagte flehend: »Wenn du Damien nicht fortschickst, vermache ich meinen ganzen Besitz einer gemeinnützigen Einrichtung, irgendeiner –«

»Tu, was du willst!« fauchte Richard. »Verbrenn das Geld, wirf es zum Fenster hinaus, aber fang nicht an –«

»Richard, bitte!« sagte Marion mit Nachdruck. »Hör mich an!« Sie begann zu weinen. »Du weißt, daß ich die Wahrheit sage. Ich mag alt sein, aber geisteskrank bin ich nicht. Dein Bruder hat versucht, Damien zu *töten*. *WARUM?*«

»Hinaus!« schrie Ann. Sie sprang auf, um sich auf die alte Frau zu stürzen. Richard hielt sie zurück, aber sie riß sich los und zeigte mit zitterndem Finger auf Marion. »Sag – sie – soll – *gehen!*«

»Ich gehe!« sagte Tante Marion, raffte ihre ganze Würde zusammen, nickte Dr. Warren zu und verließ den Raum. Richard folgte ihr.

Als die Schritte der beiden verklungen waren, wandte Ann sich Dr. Warren zu und seufzte tief.

»Tut mir leid, Charles«, entschuldigte sie sich. »Ich hatte keine Ahnung –«

»Nein, schon gut. Ich verstehe.« Er stand auf. »Warum richten wir nicht die Dias her?« meinte er, um das Thema zu wechseln. »Ich habe Ihnen und Richard ganz wunderbare Dinge zu zeigen.« Aber es ging ihm nur darum, aus diesem Zimmer herauszukommen.

Bis Tante Marion den ersten Stock erreichte, hatte sie sich von Richards Griff losgerissen.

»Ich kann alleine gehen!« sagte sie steif. Sie gingen stumm durch den langen, mit einem Läufer ausgelegten Flur, und an ihrer Zimmertür drehte sie sich um. »Dein Bruder hat versucht, Damien zu töten –«

»Das haben wir alles schon durchgesprochen, Tante Marion.«

»Es muß einen *Grund* gegeben haben.«

»Ich habe dir schon mehrmals gesagt, ich will nicht darüber sprechen. Schon gar nicht vor Gästen! In Gottes Namen –«

»Aber weshalb hat er seinen eigenen Sohn töten wollen?«

»Er war *krank*, Tante Marion, seelisch und geistig krank.«

»Und Damien? Er ist es wohl nicht?«

»Damien ist völlig gesund!« Thorn ertappte sich dabei, daß er wieder zu schreien begann. Er versuchte, sich zusammenzunehmen, ihr mit Vernunft beizukommen. »Du hast einen ganz unbegründeten Haß gegen ihn entwickelt.«

»Schau genau hin«, empfahl Marion.

Jetzt ist es passiert, dachte Thorn. Sie hat endgültig den Verstand verloren.

»Geh zu Bett. Bitte«, sagte er. »Du hast dich nicht mehr in der Hand.«

Marion zog eine Braue hoch. Sie wußte, wo sie ihn treffen konnte. Sie brauchte ihn nur daran zu erinnern, wie groß ihr Einfluß war.

»Von mir wird Damien nichts erben. Dafür werde ich sorgen.« Sie griff nach dem Türknopf.

Thorn packte ihre Hand.

»Tu, was du willst. Die Anteile im Unternehmen sind dein Eigentum.« Er wußte, daß seine Stimme verzweifelt klang. Er brauchte diese Anteile, um die Interessen der beiden Jungen zu schützen. »Aber wenn du in *meinem* Haus bist –«

»– bin ich dein Gast«, ergänzte sie. »Ich weiß. Aber das ist *mein* Zimmer, und ich muß dich bitten zu gehen. Sofort.«

Thorn seufzte und rieb sich die Stirn, dann beugte er sich vor und küßte Marion auf den Scheitel.

»Murray steht morgen mit dem Wagen bereit.« Er wandte sich ab, um zu den anderen hinunterzugehen.

Tante Marion sah ihm nach, bis er am Ende des Flurs verschwunden war, bevor sie triumphierend lächelte; sie betrat ihr Zimmer und warf die Tür hinter sich zu.

Bis Richard sich Ann und Dr. Warren im Hobbyraum angeschlossen hatte, waren Diaprojektor und Filmleinwand bereits aufgebaut, damit Charles ihnen eine Vorschau auf die neue Ausstellung im Thorn-Museum geben konnte.

Thorn hatte von seinem Vater die Liebe zur Archäologie geerbt und dessen Arbeit auf diesem Gebiet fortgesetzt. Zu den Unternehmungen in diesem Rahmen gehörte eine schwierige Ausgrabung bei Akka, die zum erstaunlichsten Fund der letzten zwei Jahrzehnte geführt hatte.

Charles Warren schaltete den Projektor ein, während Richard das Licht löschte. »Viele von diesen Gegenständen sind schon verpackt und verschifft worden«, sagte Charles. »Der erste Transport müßte bald eintreffen.«

Die einleitenden Diapositive zeigten Vasen und Statuetten. Thorn schien alles andere zu vergessen. Ann sah zu ihrem

Mann hinüber und lächelte. Es gehörte zu seinen liebenswertesten Eigenschaften, sich für das, was ihm wirklich etwas bedeutete, ganz zu engagieren.

»Hier kommt etwas, das Sie interessieren wird«, sagte Charles. Ann blickte auf die Leinwand, und ihr Atem stockte. Das Dia zeigte eine ziemlich große Statue mit grellen Farben und wüsten Einzelheiten; eine zuchtlose Frau, in Purpur, Scharlachrot und Gold gekleidet, mit Juwelen behängt, triumphierend auf einem siebenköpfigen Tier reitend. Jeder Kopf saß auf einem langen, schuppigen Hals und besaß Hörner, Fangzähne und eine schmale, gespaltene Zunge. Die Frau hatte ihren Kopf zurückgeworfen, die langen Haare waren wild zerzaust, und sie schien trunken vom Inhalt des goldenen Bechers in ihrer Hand zu sein.

»Du meine Güte«, murmelte Ann.

»Ja, schon ein bißchen erschreckend«, sagte Charles.

»Die Hure von Babylon?« fragte Richard.

Charles nickte. Ann sah ihren Mann vorwurfsvoll an. »Du *kennst* sie?« sagte sie, und sie lachten alle drei. Charles ging mit einem Bleistift zur Bildwand. »Sie stellt Rom dar«, erklärte er, »und die zehn nadelspitzen Hörner des Tieres sind die zehn Könige, die noch keine Reiche besitzen, denen aber von Satan zeitweilige Macht versprochen ist, bis er selbst seinen großen Auftritt hat.«

»Weshalb reitet sie auf dem Tier?« fragte Ann.

»Ich weiß es nicht«, gab Charles zurück, »aber anscheinend hat sie es nicht lange getan. Nach der Offenbarung Johannis werden die zehn Könige ›die Hure hassen und sie wüst machen und bloß, und werden ihr Fleisch essen, und werden sie mit Feuer verbrennen‹.«

»Schrecklich«, sagte Ann schaudernd. »Glauben Sie denn an all diese Dinge?«

»Nun, ich glaube, daß die Bibel aus großartigen, herrlichen Metaphern besteht. Es ist unsere Sache, darin einen Sinn zu finden, der uns Nutzen bringt.«

»Welchen, beispielsweise?«

Charles schien zu zögern. Er war kein Mensch, der andere bekehren wollte, und vor noch nicht allzu langer Zeit hatte er sich noch über jede Art von religiösem Glauben abfällig ausgelassen. Sein Interesse an Religiösem war ein rein wissenschaftliches gewesen. Aber dann hatte sich langsam und stufenweise die Erkenntnis in sein Bewußtsein gedrängt, daß es wirklich einen Gott gab, wirklich einen großen Plan und einen Sinn für alles. Die alten Artefakte, die er entdeckt hatte – gleichgültig, wo oder aus welcher Zeit –, besaßen eine solche Übereinstimmung, eine so große Ähnlichkeit, daß der Zufall dabei seine Hand nicht mehr im Spiel haben konnte. Und als er akzeptiert hatte, daß es einen Gott gab, war alles von Grund auf verändert worden – seine Arbeit, seine Wahrnehmung der Dinge, sein Verhältnis zu anderen Menschen.

»Tja«, sagte Charles, »es gibt sehr viele Hinweise darauf, daß das Ende der Welt bevorstehen könnte.«

»Was?« Ann glaubte an einen Witz.

»Vieles, was im letzten Jahrzehnt geschehen ist, wurde in der Offenbarung vorausgesagt«, fuhr er fort. »Erdbeben, Überschwemmungen, Hungersnöte, der verdunkelte Himmel, verseucht vom Smog, die Verschmutzung des Wassers, Klimawechsel . . .«

»Aber das hat es doch schon immer gegeben«, wandte Ann ein.

»Es gibt noch konkretere Dinge. Zum Beispiel die Prophezeiung, daß das Ende der Welt eintreten werde, kurz nachdem die Bibel in sämtliche Schriftsprachen übersetzt ist. Das war Anfang der sechziger Jahre der Fall. Und eine andere Prophezeiung besagt, daß der letzte Feuersturm im Nahen Osten ausgelöst wird.«

»Aber –«, begann Ann.

Richard mischte sich ein.

»Macht es Ihnen etwas aus, wenn wir zu den Dias zurückkehren? Wenn das Ende so nah ist, möchte ich unbedingt alles sehen, wofür ich bezahlt habe, bevor es vernichtet wird.«

Die Spannung löste sich. Sogar Charles mußte lachen. Er drückte auf den Knopf der Fernsteuerung. Die nächste Aufnahme zeigte noch einmal die Hure von Babylon, aber aus größerer Entfernung. Neben ihr stand eine junge Frau, damit man einen Größenvergleich anstellen konnte.

»Wer ist das Mädchen?« fragte Richard.

»Puh!« sagte Ann. »Ich dachte schon, die kennst du auch.«

»Eine Bekannte von mir«, sagte Charles. »Journalistin. Sie heißt Joan Hart. Haben Sie schon von ihr gehört? Sie schreibt eine Biographie über Bugenhagen, den Archäologen.«

Das nächste Dia zeigte Joan aus der Nähe: eine eindrucksvolle Frau mit kastanienbraunen, vollen Haaren und blitzenden Augen.

»Sie scheinen sehr interessiert zu sein an ihr, Charles«, meinte Ann.

Charles schüttelte den Kopf und lachte.

»Keine Spur. Aber sie ist wirklich sehr tüchtig. Übrigens kommt sie nach Chicago. In nächster Zeit, soviel ich weiß. Sie möchte ein Interview mit Ihnen machen, Richard.«

»Mit mir?« erwiderte Richard. »Worüber denn?«

»Über alles, was mit der Ausgrabung und der Ausstellung zusammenhängt.«

»Sie wissen, wie verhaßt mir Interviews sind, Charles.«

»Ja.«

»*Jeder* Art.«

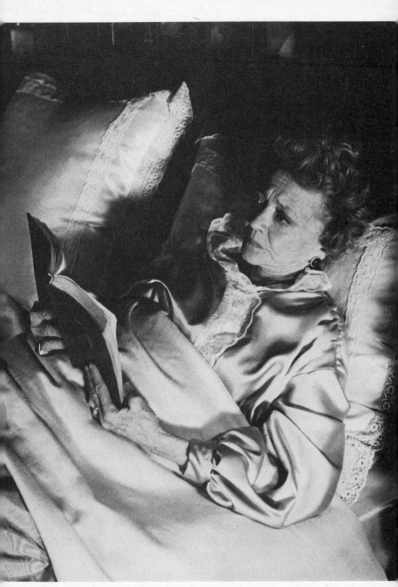

Tante Marion (Sylvia Sidney), zu Besuch bei den Thorns, fürchtet das Böse in Damien.

»Ich weiß, aber ich dachte –«

»Sagen *Sie* ihr das!«

»Gut. Gut.« Charles schüttelte ein wenig den Kopf, fand sich aber damit ab.

Kurze Zeit danach standen die drei in der Eingangshalle. Charles verabschiedete sich.

»Ich bin morgen in der Stadt«, sagte Richard und half Charles in den Mantel. »Ann muß hier bleiben und das Haus für den Winter schließen.«

Charles nickte. »Es war ein schöner Sommer«, meinte er, beugte sich vor und küßte Ann auf die Wange.

»Wir sehen uns übermorgen«, sagte sie und öffnete die Tür. »Fahren Sie vorsichtig.«

Richard begleitete Charles zum Wagen.

»Was Tante Marion angeht –«, begann er.

»Schon vergessen«, erwiderte Charles und setzte sich ans Steuer. Richard schloß die Tür und winkte, als Charles in die kalte Herbstnacht davonfuhr. Dann blies er den Atem in einer weißen Nebelwolke hinaus und ging ins Haus zurück.

Tante Marion hatte, ohne daß die Untenstehenden etwas davon ahnten, das ganze Abschiedsgespräch mitgehört, einschließlich Richards Versuch, sich für ihr Verhalten an diesem Abend zu entschuldigen. Sie hatte, wie jeden Abend, vor dem Zubettgehen ihr Fenster geöffnet.

Richards Versuch, sich für sie zu entschuldigen, kam ihr höchst unnötig und überflüssig vor. »Undankbarer Kerl«, murmelte sie vor sich hin. Sie richtete den Blick wieder auf die zerlesene Bibel, die sie jede Nacht vor dem Schlafen zur Hand nahm. An diesem Abend schlug sie das 1. Buch Mose auf: »Seid fruchtbar und mehret euch und füllet die Erde, und macht sie euch untertan und herrschet über die Fische im Meer und über die Vögel unter dem Himmel und über alles Getier, das auf Erden kreucht.«

»Also«, murmelte sie, »wenn *das* kein Zeichen ist, weiß ich wirklich nicht mehr, was eines sein soll!« Sie bezog den Vers auf den Thorn-Konzern und hing der Meinung an, das Unternehmen sei zu Größerem bestimmt, als irgend jemand ahne, und sie war mehr denn je entschlossen, ihre Anteile nicht in die Hände dieses bösen, kleinen Damien fallen zu lassen. Sie beschloß, am folgenden Tag zu Hause sofort ihr Testament zu ändern. Alles sollte an irgendeine religiöse Gruppe mit ehrenwerten Zielen fallen. Dann würden die anderen schon sehen!

Sie war so in ihre Rachephantasie versunken, daß sie den riesengroßen schwarzen Raben nicht bemerkte, der sich lautlos auf ihrem Fensterbrett niedergelassen hatte und sie mit bösem Blick prüfend betrachtete ...

Richard lag im Bett und las. Er trug eine altmodische Brille und war von geschäftlichen Unterlagen umgeben. Er nutzte die späten Nachtstunden oft dazu, sich auf dem laufenden zu halten. Trotzdem schien er nie über alles Bescheid zu wissen, was sich im Thorn-Konzern abspielte.

An diesem Abend fiel es ihm überdies schwer, sich zu konzentrieren. Tante Marions taktloser Hinweis auf den Tod seines Bruders hatte ihn aus dem Gleichgewicht gebracht. Zu viele alte Erinnerungen waren aufgewühlt worden und wirbelten nun durch sein Gehirn, Erinnerungen, die besser begraben geblieben wären. Wer hatte wissen können, was aus seinem Bruder geworden wäre? Vielleicht sogar ein Präsident der Vereinigten Staaten. Aber auf dem Höhepunkt seines Lebens wie ein toller Hund niedergeschossen zu werden ...

»*Richard!*« Ann saß an ihrem Frisiertisch und bürstete sich das Haar. Offenbar hatte sie schon mehrmals versucht, seine Aufmerksamkeit zu erregen. Er schob die Brille auf die Stirn und sah sie an.

»Ich habe dich um ein Versprechen gebeten«, sagte sie.

»Was für ein Versprechen, Schatz?«

Ann seufzte. Es war unübersehbar, daß er kein Wort gehört hatte.

»Daß wir Tante Marion nie wieder zu uns bitten. Nie mehr!«

»Ach, Ann –«

»Versprich es mir!«

»Die Frau ist vierundachtzig Jahre alt, Himmel noch mal!«

»Das ist mir egal. Ich will sie nicht mehr hier haben. Sie ist böse und gefährlich und –«

»Sie ist *senil*, Ann.«

»Dann vergiftet sie eben die Luft mit ihrer senilen Art. Sie bringt mich durcheinander und erschreckt die Jungen –«

»Unsinn. Sie finden sie komisch.«

»Nein. Sie machen sich lustig über sie, aber sie halten es nicht im selben Zimmer mit ihr aus. Vor allem Damien nicht.«

Richard nahm die Brille ab und legte sie dann auf den Nachttisch. Offenkundig würde er heute nicht mehr zum Lesen kommen. Er sammelte alle Unterlagen ein und legte sie auf den Boden.

»Na ja«, meinte er leichthin, »wenigstens macht sie den Mund nur alle paar Jahre einmal auf, wie ein Politiker, der wiedergewählt werden will.«

»Nicht komisch«, sagte Ann. Sie legte die Haarbürste hin und knipste die Frisiertischlampe aus. Dann stand sie auf, reckte sich und ging zum Bett. Richard staunte immer wieder über ihre Schönheit. Nach Marys so plötzlichem und furchtbarem Tod hatte er geglaubt, sich nie mehr verlieben zu können, aber dann war Ann gekommen, wie ein Geschenk Gottes. Sie hatten sich in Washington kennengelernt, wo er geschäftlich zu tun gehabt hatte; sie war erst kurz vorher hingekommen, um im Gesundheitsministerium eine neue Stelle anzunehmen. Zuerst hatte sie heftig mit ihm geflirtet, bis er ihr von Marys Tod und seinen inneren Widerständen gegen eine neue Verbindung erzählt hatte. Sie war daraufhin sehr nachdenklich geworden und hatte tiefes Mitgefühl gezeigt. Vielleicht wäre das Ganze eingeschlafen, hätte er sie nicht im Flugzeug nach Chicago überraschend neben sich gefunden. Sie hatte darauf bestanden, daß ein Zufall vorliege, und er hatte ihr geglaubt, war aber trotzdem geschmeichelt und interessiert gewesen. Sie hatten sich rasch ineinander verliebt, und die Nachricht von ihrer Verlobung kam für die Außenwelt überraschend. Richard war jedoch souverän genug, um sich keine Gedanken über die Reaktionen anderer Leute zu machen.

Und nun, sieben Jahre später, lag sie in seinen Armen, und er war noch immer besessen von ihr. Sex hatte viel damit zu tun, das räumte er ein. Ann hatte ihn zu Höhen hinaufgeführt, die ihm zuvor unerreichbar erschienen waren.

»Woran denkst du?« fragte Ann.

»An dich. Daran, wie wir uns kennengelernt haben. Daran, wie sehr ich dich liebe.«

»Ach, daran.«

Er lachte. Das war auch ein Punkt. Ann konnte ihn auf eine Weise zum Lachen bringen, wie niemand je zuvor, nicht einmal Mary. Aber er scheute davor zurück, die beiden Frauen miteinander zu vergleichen. Das erweckte Schuldgefühle in ihm.

»Schon wieder Schuldgefühle?« Sie besaß das Talent, oft seine Gedanken lesen zu können.

»Nein«, erwiderte er. Er wollte nicht darüber sprechen, weil ihn zu viele andere Dinge beschäftigten. Der Abend war anstrengend genug gewesen.

Ann schmiegte sich an ihn.

»Was hast du zu ihr gesagt?« fragte sie schnurrend.

»Hmmm?«

»Was du zu Tante Marion gesagt hast, als du sie hinaufbrachtest?«

»Ich habe ihr gesagt, sie soll sich benehmen.«

»Das ist alles?« Sie preßte sich an ihn.

»Nun ja, ich war schon ein bißchen strenger.«

»So streng?« Sie drückte ihn, daß ihm der Atem wegblieb. Er schlang die Beine um sie und zog sie an sich, so fest er konnte. Sein Glück war so vollkommen, daß er sich einzubilden wagte, es würde immer so bleiben, wie es jetzt war. Mit Ann, Mark und Damien. Bei Ann war es praktisch Liebe auf den ersten Blick gewesen, die sich zu einem tiefen Gefühl entwickelt hatte. So weit, so gut. Auch Mark hatte er vom ersten Augenblick an geliebt. Er hatte zur Geburt nicht einmal in die Klinik kommen können, so schnell und vorzeitig war das eingetreten, aber er hatte seinen Sohn schon wenige Stunden nach der Geburt gesehen. Winzig und mit geschlossenen Augen an der Brust seiner Mutter schlafend. Die Liebe zu und der Stolz auf Mark waren im Lauf der Jahre immer mehr gewachsen.

Bei Damien war es schwieriger gewesen. Lange Zeit hatte er Richard an seinen toten Bruder erinnert, und er hatte sich anstrengen müssen, ihm nichts nachzutragen. Im Lauf der Jahre hatte er Damien jedoch wie einen zweiten Sohn lieben gelernt und Stolz auf seine Leistungen empfunden.

»Damien ist so ein braver Junge«, murmelte Ann, die schon

wieder seine Gedanken zu lesen schien. »Warum haßt ihn Tante Marion nur so?«

»Keine Ahnung, Schatz«, erwiderte er.

»Sie hat dich auch verstört, nicht?«

»Ein gesellschaftlicher Höhepunkt war der Abend nicht gerade.«

»Wahrlich nicht«, sagte Ann und schob sich auf einen Ellenbogen hoch. Mit der freien Hand fuhr sie die Konturen seines Gesichts nach. »Sie wühlt all die alten Erinnerungen an deinen Bruder auf, nicht wahr?«

Richard spannte den Körper an. Es gab Dinge, die er niemandem preisgab, nicht einmal seiner Frau.

»Ich möchte lieber nicht darüber sprechen.«

Ann beließ es dabei. Sie bohrte manchmal, weil ihr alles wichtig war, was Richard beschäftigte, aber sie wußte, wann sie aufhören mußte. Sie sah ihn zwinkernd an.

»Vielleicht wäre sie keine so alte Hexe, wenn sie geheiratet hätte.« Sie schob sich wieder nah heran.

»Erstaunlich, was ein Mann wert ist«, meinte Richard.

Sie sah ihn an.

»Versprichst du es mir?« sagte sie mit ihrer Kleinmädchenstimme, die ihn wehrlos machte.

»Ich verspreche es«, sagte er und griff nach ihr. »Schluß mit Tante Marion.«

Im gleichen Moment erloschen zwei Lichter. Das Licht in Tante Marions Zimmer und das Licht in Tante Marions Augen.

Die alte Frau war tot, die Bibel ihren Händen entglitten.

Niemand wußte davon, außer dem riesigen schwarzen Raben, der aus ihrem Schlafzimmer flatterte und in der dunklen Nacht verschwand.

2

Sehr früh am nächsten Morgen war die gesamte Belegschaft der Davidson-Militärakademie in voller Uniform auf dem Exerzierplatz angetreten und marschierte zu den Klängen der lauten Schulkapelle, die als Nachhut auftrat.

Die meisten Kadetten waren noch bemüht, richtig wach zu werden, und hofften, sich vom Drill soviel gemerkt zu haben, daß sie im Morgengrauen imstande sein würden, die Befehle halbwegs korrekt ausführen zu können.

Die Kadetten nahmen Zug für Zug Aufstellung. Die Kapelle kam zum Stillstand, marschierte noch ein paar Takte auf der Stelle und verstummte. Der letzte Ton verklang in der kalten Herbstluft.

Der Oberst stand auf den breiten Eingangsstufen des Hauptgebäudes und lächelte stolz, als er die Reihen junger Kadetten perfekt ausgerichtet vor sich stehen sah. Für einen Offizier war er viel zu dick, aber da er wußte, daß er nicht mehr aufgerufen sein würde, für sein Land zu kämpfen, hatte er sich in dieser Beziehung ein wenig gehen lassen.

Neben ihm stand ein gutaussehender, wacher, streng wirkender junger Mann, drahtig und hochaufgerichtet.

Der Oberst hieß die jungen Leute nach dem Erntedankfest willkommen, dann gab er eine Reihe von Bemerkungen über die Dienstpläne der bevorstehenden Wochen von sich.

Unten auf dem Exerzierplatz flüsterte Mark seinem Vetter aus dem Mundwinkel zu: »Das muß er sein.« Er wies mit einer knappen Kinnbewegung auf den jungen Mann neben dem Oberst.

»Scheint in Ordnung zu sein«, wisperte Damien.

»Wenn einer Gorillas mag.«

Der Oberst beendete seine Ansprache mit den Worten:

»Zug Bradley bleibt an seinem Platz. Alle anderen Züge marsch zur Kantine. Rechtsum – marsch!«

Die Kapelle begann wieder zu spielen, bis der Platz bis auf zwei Dutzend Kadetten von Marks und Damiens Zug leer war.

»Rühren«, sagte der Oberst.

Die Jungen schoben die linken Füße ein wenig vor. Der Oberst wies auf den jungen Mann neben sich.

»Das ist Sergeant Daniel Neff. Er übernimmt den Zugführerposten von Sergeant Goodrich.«

Es war das erste Mal, daß Goodrichs Name fiel. Vom Tod wurde den Kadetten gegenüber nur im äußersten Notfall gesprochen – ironisch genug für eine Militärakademie –, und vor allem mied man das Thema Selbstmord, da diese Tat als unmännlich und unheroisch galt.

»Sergeant Neff ist ein sehr erfahrener Soldat«, fuhr der Oberst fort, »und ich bin sicher, daß ihr in kurzer Zeit der beste Zug der ganzen Akademie sein werdet.«

Der Oberst versuchte, freundlich zu lächeln. Dann wandte er sich Neff zu: »Alles weitere überlasse ich Ihnen, Sergeant.«

Neff salutierte zackig und sah dem Oberst nach, als dieser davonwatschelte, bemüht um eine einigermaßen militärische Haltung.

In der hinteren Reihe des Zuges stand ein linkischer, riesengroßer Junge, einen ganzen Kopf größer als seine Kameraden. Er war für einen so jungen Mann verblüffend dick, und Hals und Handgelenke quollen aus einem Hemd, das ihm viel zu eng war. Er hieß Teddy und unterstrich sein unerfreuliches Äußeres dadurch, daß er die anderen Kadetten, die alle kleiner und schmächtiger waren als er, tyrannisierte. Teddys Spezialität war – unter dem Tarnmantel Scherz – ein lähmender

Schlag auf die Schulter, durch den der Arm des Getroffenen an die zwanzig Minuten lang unbrauchbar wurde.

Teddy hielt es für eine gute Idee, sich bei dem neuen Zugführer gleich von Anfang an beliebt zu machen. Er betrachtete die Auszeichnungen auf der Brust des Sergeanten.

»Sergeant«, sagte er mit gewinnendem Lächeln, »wofür haben Sie Ihre Orden –«

»Zu reden hat nur einer, den ich anspreche«, fauchte Neff, »und dann hat er gut zuzuhören. Ich habe nämlich vor, in meiner neuen Aufgabe zu glänzen, und das kann ich nur, wenn ihr glänzt. Ich werde die Einheit aufpolieren, bis sie jedes Auge blendet.« Neff starrte sie an. »Verstanden?«

Die Kadetten, blasser geworden, nickten betroffen. Teddy ließ den Kopf sinken und schluckte. Es gefiel ihm nicht, vor den anderen gedemütigt zu werden. Er würde das auf irgendeine Art gutmachen müssen.

»Nach dem Frühstück meldet sich jeder einzelne von euch bei mir im Dienstzimmer«, fuhr Neff fort. »Aber zuerst will ich eure Namen hören.« Er blieb vor Mark stehen.

»Mark Thorn«, sagte Mark gepreßt.

»Ich möchte meine Rangbezeichnung hören.«

»Mark Thorn, *Sergeant!*«

»Thorn, hm?« sagte Neff lächelnd. »Deine Familie hat enge Beziehungen zur Schule hier, nicht?«

Mark, dem man beigebracht hatte, daß es unhöflich war, andere Leute an die Tatsache zu erinnern, daß seine Familie reich und einflußreich war, wußte nicht, was er sagen sollte. Er schwieg also, aber damit war Neff nicht zufrieden.

»Nicht wahr?« wiederholte er.

Mark entschied sich für eine unverbindlich diplomatische Antwort.

»Mein Vater und mein Onkel waren hier Kadetten.«

»Sehr gut«, erklärte Neff. »Aber wohlgemerkt, das ergibt keine Vorrechte. Wir sind hier alle gleich.«

Mark nickte.

»Jawohl, Sergeant!«

Teddy konnte der Gelegenheit, sich in ein besseres Licht zu setzen, nicht widerstehen.

»Das haben wir alle schon mal gehört«, flüsterte er laut. Die Kadetten um ihn herum erstarrten.

Neff fuhr herum.

»Aber noch nicht von mir!«

Teddy konnte den grimmigen Blick nicht aushalten und senkte die Augen.

Neff ging weiter.

»Name?« fragte er.

»Damien Thorn . . . Sergeant.«

Neff warf einen Blick auf Mark.

»Ihr seht euch nicht ähnlich«, sagte er.

»Wir sind Vettern, Sergeant«, sagte Damien und lächelte strahlend.

In Neffs Augen zuckte etwas, aber es war so schnell verschwunden, wie es gekommen war.

»Na gut«, sagte er. »Aber für dich gilt dasselbe. Keine Privilegien.«

Damien nickte und folgte Neff mit dem Blick, als der Sergeant weiterging. Der Mann hatte etwas an sich, das Damien entnervte, das eine seltsame Erregung in ihm hervorrief. Aber was es genau war, konnte er nicht sagen. Jedenfalls jetzt noch nicht.

Sechzig Meilen entfernt, im Zentrum von Chicago, ging Richard Thorn durch die pompöse Eingangshalle des riesenhaften Verwaltungsgebäudes, von dem aus der Thorn-Konzern gesteuert wurde. Er war in Begleitung von Bill Atherton, dem Vorstandsvorsitzenden. Sonst waren nur wenige Leute unterwegs, weil es noch zu früh am Tage war.

Atherton, ein überaus freundlicher und zurückhaltender Mann, hätte einen guten Spion abgegeben. Er fiel keinem Menschen auf. Mit vierundsechzig Jahren glitt er durch das Leben wie auf einem Transportband in einem Flughafengebäude, langsam, aber sicher an sein Ziel gelangend, ohne sich in irgendeiner Weise anzustrengen.

Nach dem Studium war Atherton in die Planungs- und Entwicklungsabteilung des Thorn-Konzerns eingetreten und hatte sich nach oben gearbeitet, bis er nur noch Richard Thorn über sich hatte, der Vorsitzender des Aufsichtsrates war und bei dem alle Fäden zusammenliefen. Atherton lebte noch immer in dem Haus, das er zur Hochzeit mit seiner Verlobten aus der Studentenzeit gekauft hatte. Sie war noch immer seine Frau, noch immer seine Angebetete, und die erste und einzige Frau, mit der er je geschlafen hatte.

Atherton mochte ein wenig farblos sein, an Intelligenz mangelte es ihm nicht. An diesem Tag beschäftigte ihn etwas, womit er sich schon geraume Zeit herumschlug. Es betraf Paul Buher, den Leiter der Sonderprojekte, Athertons unmittelbaren Untergebenen.

Buher, fast dreißig Jahre jünger als Atherton, machte kein Hehl daraus, daß er Athertons Posten anpeilte. Aber das war es nicht, was Atherton störte. Er war gegen dergleichen immun. Er hatte seinen Posten behalten, weil er ihn sehr gut ausfüllte, und er wußte, daß Richard Thorn, einer seiner ältesten und engsten Freunde, sich von Intrigen nicht beeinflussen ließ. Was Atherton störte, war, daß ihm Buhers Rücksichtslosigkeit und Bedenkenlosigkeit immer stärker zum Bewußtsein kamen. Buhers Vorgehen war schlecht für das Image des

Unternehmens, und, wichtiger noch, es konnte den Konzern in ernsthafte Schwierigkeiten bringen, wenn Buher mit einem noch größeren Verantwortungsbereich betraut werden sollte.

Atherton und Richard Thorn waren unterwegs zu einer von Buher angesetzten Besprechung über eine landwirtschaftliche Spezialfabrik, deren Erwerb Buher vorgeschlagen hatte.

Thorn verhielt sich diplomatisch wie immer.

»Ich gebe als erster zu, daß mit Paul schwer auszukommen ist«, sagte er, als sie die Drehtür erreichten, »aber wir haben drei Jahre gebraucht, einen Mann mit seiner Qualifikation zu finden.«

»Ich zweifle nicht an seiner Qualifikation«, sagte Atherton, »sondern –«

»– an seiner Verhaltensweise«, ergänzte Thorn. Sie traten hinaus auf den Gehsteig. Die Limousine stand am Randstein.

Atherton schüttelte den Kopf.

»Sogar damit kann ich mich abfinden«, sagte er. »Ich habe alle möglichen Typen kennengelernt. Nein. Mir paßt nicht, was er vorschlägt, und ich habe nicht vor, das zu verheimlichen.«

»Sie machen sich Sorgen darüber, daß wir Schwierigkeiten mit dem Justizministerium bekommen könnten«, meinte Thorn.

»Na ja, er hat ein paar diffizile Fragen aufgeworfen . . .«

Als sie auf das Auto zugingen, stieg Murray aus und öffnete den Schlag.

»Hören wir uns erst einmal an, was er zu sagen hat«, entschied Thorn, als sie einstiegen. »Ich verlange nur, daß Sie Ihre Einwände etwas – zurückhaltender als sonst formulieren.«

Murray schloß die Tür, als Atherton belustigt auflachte.

In der Akademie war der Zug Bradley dabei, seinen Führer kennenzulernen, Mann für Mann. Die Kadetten standen still im Flur vor seinem Dienstzimmer und warteten darauf, hineingerufen zu werden.

Teddy lehnte an der Wand und täuschte überlegene Langeweile vor. Es war ihm sehr wichtig, den Eindruck zu erwekken, als fürchte er sich nicht im mindesten vor dem Mann, der ihn gedemütigt hatte.

Teddy hatte in Wirklichkeit eine Heidenangst vor Neff, der offenkundig von vorlauten Kadetten nichts hielt. Teddy würde sich etwas einfallen lassen oder sich umstellen müssen.

Wie gewohnt, hatten sich ein paar Speichellecker um Teddy geschart, bemüht, seine gleichgültige Haltung nachzuahmen. Teddy beschloß, ein wenig Leben in die Bude zu bringen. Er trat an die andere Wand, wo an die vierzig gerahmte Photographien säuberlich über- und nebeneinander aufgereiht waren. Sie zeigten die Footballmannschaften der Akademie in chronologischer Reihenfolge.

Teddy fand das gesuchte Bild.

»Da hat mein alter Herr mitgespielt«, sagte er. »Das ist er.« Er zeigte mit seinem kurzen, dicken Zeigefinger darauf. Ein halbes Dutzend seiner Anhänger drängte heran. »Er war Stürmer«, setzte er hinzu und schaute zu Damien hinüber. »Robert Thorn war Abwehrspieler«, sagte er verächtlich. »Kaufen kann man wohl alles.«

Damien löste sich von der Wand.

»Teddy«, sagte er drohend.

Teddy schaute sich nach seinen Anhängern um. Sie wollten offenkundig mehr hören.

»Wieviel hat er denn spendieren müssen?« fragte er.

Man kicherte nervös. Als Damien gerade auf Teddy losgehen wollte, ging die Tür zu Neffs Zimmer auf, und Mark trat heraus. Er spürte sofort, daß eine gespannte Atmosphäre herrschte, und sah, daß Damien und Teddy einander feindselig anstarrten. Er räusperte sich und sagte ruhig: »Damien – du bist dran.«

Damien sah Mark an und warf noch einmal einen Blick auf Teddy.

»Daß du den Namen meines Vaters in meinem Beisein nie mehr erwähnst«, sagte er leise und drohend. »Nie mehr!« Er drehte sich um und verschwand in Neffs Zimmer.

Teddy sah Mark an und schnaubte.

»Dein Vetter hält sich wohl für was ganz Besonderes, wie?« Er wandte sich seinem Publikum zu. »Mein Vater sagt, die Thorns müßten sich ihre Hüte eigens anfertigen lassen, weil ihre Schädel in keinen normalen hineinpassen.« Teddy lachte, und ein Teil der Kadetten fiel ein.

Mark ging ruhig auf Teddy zu und sagte: »Hast du Hühneraugen?«

Teddy war nicht sicher, was er meinte, vermutete aber eine Beleidigung. Er konnte nicht glauben, daß Mark es wirklich mit ihm aufnehmen wollte. Damien, ja; er war der Gefährlichere. Aber Mark?

»Ob ich was habe?« Teddy richtete sich zu seiner vollen Größe auf.

»Hühneraugen«, sagte Mark gelassen.

»Nein, hab' ich nicht.«

»Die wirst du aber bald haben«, sagte Mark grinsend und trat mit voller Wucht auf Teddys linken Fuß.

Teddy war wie betäubt, ja, beinahe gelähmt. Nicht so sehr deshalb, weil dieser Zwerg es gewagt hatte, ihm auf die Zehen zu treten, obwohl er einen Aufschrei hatte unterdrücken können, sondern weil ihm dergleichen noch nie vorgekommen war. Niemand in der Militärschule hatte ihm bislang auf diese

Weise getrotzt. Teddy wußte einfach nicht, was er davon halten sollte.

Geistig nicht gerade beweglich, bemühte er sich noch immer, seine Überraschung zu verdauen, als Mark betrübt den Kopf schüttelte und den Stiefel auf Teddys anderen Fuß niedersausen ließ. Teddy war nun nicht bloß verwirrt, er konnte auch nicht mehr stehen.

Die anderen Kadetten hätten am liebsten laut gelacht, als Teddy von einem Bein auf das andere hüpfte, aber sie wußten, daß ein Fight bevorstand, über dessen Sieger es von vornherein keinen Zweifel gab, weshalb es sich empfahl, Vorsicht zu üben. Sie wichen zurück und machten Platz für Mark und Teddy.

Damien stand ruhig und entspannt vor dem großen Schreibtisch, an dem Neff in Damiens Akte blätterte. Endlich fand Neff, was er gesucht hatte. Er fuhr mit dem Finger den Bewertungsbogen entlang.

»Mathematik, gut«, sagte er. »Naturwissenschaft . . . sehr gut. Militärgeschichte . . . befriedigend.« Er zog eine Braue hoch. »Noch verbesserungsfähig.«

»Ja, Sergeant.« Damien balancierte ein wenig auf den Fußballen und sah zum Fenster hinter Neff hinaus; der jüngste Zug stürmte gerade auf den Platz zur Freistunde.

»Leibeserziehung, hervorragend«, fuhr Neff fort. Er legte die Akte weg und beugte sich vor. »Ich höre, du bist ein sehr guter Footballspieler.«

Damien zuckte die Achseln. Er wußte, daß er gut war, hielt aber nichts von Prahlerei. Worte bedeuteten nichts, Handeln alles.

»Man muß stolz sein auf seine Leistungen«, knurrte Neff. »Stolz ist gut, wenn es Anlaß dazu gibt.«

»Ja, Sergeant.«

Neff lehnte sich zurück.

»Ich sehe mir heute nachmittag das Spiel an«, sagte er. Es klang beinahe wie eine Herausforderung. Damien nickte. Langsam fing Neff an, ihn zu beunruhigen.

Es blieb eine Weile still; schließlich schloß Neff die Augen und sagte mit Nachdruck: »Ich bin hier, um euch etwas beizubringen, aber auch, um euch . . . zu helfen.« Er schien nach Worten zu suchen. »Ihr könnt mit allen Problemen zu mir kommen. Habt keine Angst – bei Tag oder Nacht, wenn ihr irgendeinen Rat braucht . . . zu mir zu kommen.« Neff öffnete die Augen. »Verstanden?«

Damien nickte.

»Ja, Sergeant.«

»Wir werden einander kennenlernen«, erklärte Neff. Er warf einen Blick auf die Akte. »Ich sehe, daß du Waise bist.«

Damien nickte wieder, diesmal unbehaglich.

Neff lächelte mitfühlend.

»Ich bin auch eine«, sagte er. »Wir haben also etwas gemeinsam.«

Damien sah Neff verwundert an. Hier ging etwas vor sich, das er nicht verstand, und das gefiel ihm nicht.

Neffs Lächeln verschwand plötzlich; er stand auf und blickte zum Fenster hinaus. Er fuhr mit der Hand über die Stirn und befahl mit kühler Stimme: »Schick Foster herein!«

Damien starrte einen Augenblick auf Neffs Rücken, dann drehte er sich um und ging hinaus.

Als Neff die Tür zufallen hörte, ließ er den Kopf auf die Brust sinken und seufzte, so, als hätte er gerade etwas nicht nur sehr Wichtiges, sondern auch überaus Schwieriges hinter sich gebracht.

Damien (Jonathan Scott-Taylor), immer gegenwärtig und wachsam . . .
Wer ist Damien?

Damien trat hinaus in den Flur und kam gerade recht, um zu sehen, wie Teddy den offenbar endgültigen Schlag auf Mark abfeuern wollte, der sich am Boden wand und sein schon zerschlagenes Gesicht zu schützen versuchte.

Damien zögerte keinen Augenblick.

»TEDDY!«

Es war ein Ton, wie Damien ihn noch nie gebraucht, wie noch keiner der Jungen im Korridor ihn je gehört hatte. Die Stimme besaß eine Tiefe und Resonanz, die schreckenerregend wirkten, und klang so gebieterisch, daß Widerstand ausgeschlossen erschien.

Teddy fuhr herum und grinste triumphierend, aber als er in Damiens kalte, durchdringende Augen starrte, verging ihm das Grinsen.

Die anderen Kadetten verstummten.

Dann kam das Geräusch, ein Klappern, als schlügen dünne Metallineale aneinander. Teddy schaute sich nach dem Ursprung des Geräuschs um. Niemand sonst schien es zu hören. Sie starrten ihn alle an. Das Klappern wurde lauter, bis es den Anschein hatte, als schlügen riesige, machtvolle Schwingen die Luft – unmittelbar über Teddys Kopf. Er fuhr herum, kreischte: »Aufhören!« und hieb mit den Armen um sich, als wehre er sich verzweifelt gegen einen Angriff, der seinem Kopf galt.

Die anderen Kadetten rissen Augen und Münder auf. Damien schien in einen Trancezustand verfallen zu sein. Mark raffte sich auf, um zu sehen, was vorging.

Teddy wurde plötzlich in die Luft gehoben, als hätte ihn ein Sturmwind erfaßt, und an die Wand geschleudert.

In diesem Augenblick wurde die Tür aufgerissen, und Neff trat heraus. Die plötzliche Unterbrechung beendete Damiens Trancezustand; er schüttelte heftig den Kopf und blinzelte.

Teddy war in der Ecke zusammengesunken. Der Lärm hatte sich gelegt. Die anderen Kadetten rührten sich nicht.

»Was machst du da am Boden?« fragte Neff.

Teddy sagte nichts. Er wimmerte leise und rieb sich das Kinn.

»Wer war das?« fragte Neff.

Teddy raffte sich mühsam auf.

»Niemand, Sir.« Es war nicht ganz gelogen.

Neff schien sich damit zu begnügen.

»Okay«, sagte er. »Foster ist der nächste.« Er ging in sein Zimmer zurück, und der aufgerufene Kadett folgte ihm.

Danach herrschte lastende Stille. Nach einer Weile schob Damien sich durch die Kadetten, die Teddy nun umdrängten, und trat ins Freie, gefolgt von Mark.

Auf den Stufen holte Mark ihn ein.

»Was hast du mit ihm *gemacht?*« fragte er betroffen.

»Ich weiß es nicht«, sagte Damien. Er meinte es ernst. Er hatte kaum gewußt, was vorgefallen war und wer die Verantwortung für den Vorfall trug. Vielleicht verlor er den Verstand, wie sein Vater.

Mark legte den Arm um ihn, und sie gingen so weiter, bis Mark sagte: »Ich soll in die Kapelle eintreten.«

Damien lächelte, froh über den Themawechsel.

»Mensch«, sagte er, »das ist ja großartig!« Er schien beinahe wieder er selbst zu sein – sorglos, lustig. Er zwinkerte Mark zu und gab ihm einen Rippenstoß. »Einmal rund um den Platz«, sagte er und schob Mark vorwärts. »Ich geb dir einen Vorsprung.« Und sie rannten los, lachend und übermütig, rannten über den ganzen Platz, um ihre überschüssige jugendliche Energie abzureagieren.

Wie alle Kinder.

Bei den Thorns wurde das Herrenhaus für den kommenden Winter wieder einmal abgeschlossen. Das Hausmädchen schüttelte große, weiße Staubüberzüge aus und deckte sie über die Möbel, bis man sich halb in ein Museum, halb in ein Bestattungsunternehmen versetzt fühlte.

Ann verließ das Eßzimmer und stieg die breiten Marmorstufen zu den Schlafzimmern im ersten Stock hinauf. Diesen Teil des Jahresablaufs zu überwachen, bedrückte sie immer, und sie gab sich Mühe, das so schnell wie möglich hinter sich zu bringen.

Im ersten Stock ging sie zu den Mädchen, die in den verschiedenen Zimmern die Bettwäsche einsammelten.

»Ist Miss Marion schon angekleidet, Jennie?« fragte sie eines der Mädchen.

Das Hausmädchen schüttelte den Kopf.

»Ich glaube, sie ist noch gar nicht wach, Mrs. Thorn. Ich habe vorhin geklopft, aber sie hat sich nicht gerührt.«

»Danke«, sagte Ann und ging an ihr vorbei zu Tante Marions Zimmer, wo sie zweimal kräftig an die Tür klopfte.

Keine Antwort.

Ann näherte das Gesicht der Tür, um zu lauschen, aber sie konnte nichts hören.

»Tante Marion«, rief sie, »du darfst dein Flugzeug nicht verpassen!«

Nichts.

Ann beschloß einzutreten. Sie öffnete die Tür und ging hinein.

Sie konnte Tante Marion nicht auf Anhieb sehen. Im Bett lag niemand. Es war stark zerwühlt, so, als hätte die alte Dame eine schlaflose Nacht verbracht.

Erst als Ann auf dem Weg zum Badezimmer auf die andere Seite des Bettes kam, sah sie Tante Marion verkrümmt auf dem Boden liegen. Ihr Körper war so unnatürlich verrenkt, daß es keinen Zweifel an ihrem Tod geben konnte. Die Bibel lag aufgeschlagen neben ihr.

Ann preßte die Hand auf den Mund, um nicht zu schreien. Sie schloß krampfhaft die Augen und wandte sich ab, wie um das Bild, den Anblick auszulöschen. Sie wünschte sich, daß der heftige Streit am Vorabend nicht stattgefunden hätte.

Als sie die Augen öffnete, sah sie das offene Fenster, an dem die Gardinen sich im Morgenwind bauschten.

Die Landschaft südlich von Chicago und westlich von Cicero, Illinois, ist weit und eben, wie in Kansas. Dort, in einem sonst rein ländlichen Gebiet, befand sich die neue Fabrik, deren Erwerb durch den Konzern Buher befürwortete. Die langen Glaswände schienen sich in die Unendlichkeit hineinzuerstrecken; ein niedriges Science-fiction-Gebilde in einer Landschaft aus dem neunzehnten Jahrhundert.

Der Hubschrauber des Konzerns, der auf den Landeplatz herabsank, schien ebenfalls einem Science-fiction-Film zu entstammen, wie das Elektrofahrzeug, das auf ihn wartete – eine Art Golfwagen mit Fernsehapparat und Funkeinrichtung.

Das Fahrzeug wurde gesteuert von David Pasarian, dem Leiter der Abteilung Agrarforschung des Thorn-Konzerns. Er war der Mann, den Buher zum Chef des neuen Unternehmens vorgeschlagen hatte. Ein mittelgroßer Mann mit dunklem Teint, indianischer Abstammung. Pasarian kannte aus bitterer eigener Erfahrung in seiner Jugend, was es hieß zu hungern, und so besaß er vielleicht die stärkste Motivation aller Mitarbeiter auf dem Agrargebiet. Seine Abteilung war ständig auf der Suche nach neuen Methoden zur Ernährung der Menschen in der Dritten Welt.

Pasarian erinnerte sich an Bangladesh, wo er Kinder mit dünnen Armen und aufgedunsenen Bäuchen in Rudeln durch die Straßen hatte ziehen sehen; sie waren bereit gewesen, für ein paar Bissen Nahrung zu töten. Der Ausdruck »Dritte Welt« war Pasarian zuwider. Für ihn gab es nur eine einzige Welt, in der jeder das Recht auf ausreichende Ernährung hatte. Was Buher anging, so sah dieser keine hungernden Kinder. Er sah nur Gewinnprozente und Bilanzen. Er begriff nicht, daß Statistiken hungernde Menschen meinten, die manchmal gefährliche Dinge taten, wenn der Hunger groß genug wurde. Buher begriff nur das eine: Wenn die Leute hungerten und man über die Nahrungsmittel verfügte, konnte man viel Geld verdienen. Pasarian haßte Buhers kalte Art, tröstete sich aber mit dem Gedanken, daß es vor allem darauf ankam, die Menschen zu ernähren, egal, auf welche Weise.

Pasarian fand sich auch mit Buhers Wunsch ab, daß er sie mit dem großen Golfwagen kutschierte. Es war wie eine Szene aus Dutzenden alter Hollywoodfilme, die Pasarian in seiner Kindheit gesehen hatte: Der große Silbervogel sinkt vom Himmel herab, der weiße Mann erscheint, um die Eingeborenen zu retten, und erklärt ihnen, daß der Vulkan nicht ausbrechen wird.

Dieser Silbervogel war einer der kleineren Hubschrauber im Besitz des Konzerns, und die weißen Männer, die er brachte, waren Richard Thorn und Bill Atherton. Was sie den Eingeborenen erklären wollten, war ein gründlich ausgearbeiteter Plan im Namen des Gemeinsamen Marktes; auch so ein Ausdruck, den Pasarian nicht schätzte, weil er der Meinung anhing, er verfechte einseitig die Interessen der Industrienationen.

Pasarian wußte genug über das Unternehmen und die herrschenden Meinungsverschiedenheiten, um zu begreifen, daß das Buhers große Gelegenheit war, Richard Thorn davon zu überzeugen, daß seine Methoden die wirksamsten seien. Buher schien stets zur richtigen Zeit am richtigen Ort zu sein, immer wissend, wann er forcieren, wann er nachgeben mußte, nie aufgebend, stets auf den richtigen Augenblick wartend. Ein Mann, der sich jederzeit durchzusetzen vermochte, der eine Bedrohung für alle außer Richard Thorn darstellte, weil Thorn der ganze Laden gehörte und er dafür sorgen konnte, daß sich seine Meinung durchsetzte.

Der Hubschrauber landete. Man schüttelte sich die Hände, dann fuhren die vier Männer mit dem großen Golfwagen davon. Pasarian saß am Steuer, neben ihm Thorn; die beiden anderen hatten hinten Platz genommen. Buher begann sofort zu argumentieren, bemüht, Athertons Ansichten von Anfang an zu widerlegen.

»Bill hat in dieser Frage einfach unrecht«, sagte er, beugte sich vor und schrie Thorn ins Ohr, um den Motorenlärm zu übertönen: »Mein Bericht hebt die unwiderlegbare Tatsache hervor, daß das Hauptinteresse des Konzerns derzeit auf die Bereiche Energie und Elektronik zielt. Ich bleibe bei der Ansicht, daß wir aus diesem Grund dazu neigen, kaum noch zu beachten, was in Anlagen wie diesen hier geschieht. Und das zu unserem Nachteil. Die Gewinne der Zukunft sind, von der Energie einmal abgesehen, in erster Linie auf *einem* Gebiet zu erwarten . . . auf dem des Hungers!«

Atherton schnaubte verächtlich.

»Das ist wieder einmal typisch für Sie, Paul«, sagte er kopfschüttelnd. »Herzlos und –«

»*Wahr!*« unterbrach ihn Buher. »Nicht herzlos. Realistisch.«

Atherton beugte sich vor und sagte zu Thorn: »Richard, bis 1980 wird Erdöl aus dem Nahen Osten dieses Land zwanzig

Milliarden Dollar im Jahr kosten. Eine Hochkonjunktur ist nicht zu erwarten, und teures Benzin wird sie erst recht nicht herbeiführen. Wenn unsere Verantwortung dem Land und der ganzen Welt gegenüber Energie betrifft, müssen wir fortfahren, Zeit und Geld für alle Alternativformen aufzuwenden. Was ist mit den Programmen, die wir bereits begonnen haben: Sonnenenergie, Schwerkraftenergie, Atomenergie? Sollen wir unsere Fortschritte auf diesen Gebieten negieren und sie einfach als Zeitvergeudung abschreiben?«

»Weil wir gerade von der Zeit sprechen, Bill«, sagte Buher mit einem Blick auf die Uhr, »während Sie unsere ruhmreiche Beschäftigung mit dem Energiesektor propagieren, sind acht Menschen verhungert. Alle achtkommasechs Sekunden stirbt irgendwo auf der Welt ein Mensch Hungers. Sieben in jeder Minute. Vierhundertzwanzig in jeder Stunde. Zehntausend an jedem Tag.«

»Worauf wollen Sie hinaus, Paul?« fragte Atherton.

»Ich will darauf hinaus«, erwiderte Buher mit betonter Geduld, als habe er ein kleines Kind vor sich, »daß es nicht viel Sinn ergibt, neue Energiequellen zu erschließen, wenn niemand mehr am Leben ist, um sie zu nutzen.«

Thorn hielt es für angebracht einzugreifen.

»Ist das Bild nicht ein wenig zu düster?« meinte er.

»Der Tag kommt, Richard«, sagte Buher voll Überzeugung. »Früher, als Sie glauben.«

»Also weiter«, sagte Thorn. Er wußte, daß Buher oft übertrieb, aber es gab keinen Zweifel daran, daß seine Instinkte selten in die Irre gingen. Außerdem empfahl es sich, alle Seiten zu hören, so extrem die Argumente oft auch sein mochten.

Buher seufzte erleichtert.

»Ich dachte schon, ich komme nicht dran«, sagte er.

Atherton lehnte sich zurück und verschränkte die Arme.

Pasarian lächelte schwach. Buher verstand sich fast immer durchzusetzen.

Während der Golfwagen auf das riesige Treibhaus zufuhr, waren die vier Insassen zu beschäftigt, um das heftige Winken eines Werkschutzmannes zu bemerken. Er versuchte, Thorns Aufmerksamkeit zu erregen, weil eben ein überaus dringender Anruf für diesen gekommen war.

Im Treibhaus wanderten die vier Männer einen langen Gang hinunter, der durch ein scheinbar endloses Meer aus Grün führte. Sie blieben stumm, überwältigt von dem Anblick, der sich ihnen bot: Gemüse in Großform wuchs auf einem Riesentisch, auf einem anderen gediehen kleine Formen in Blumenkästen. Buher konnte sehen, daß sogar Atherton tief berührt war, und er frohlockte innerlich.

»Es hat einmal einen Mann gegeben, der gefragt hat: ›Kann man das Meer pflügen?‹« sagte er. »Die Leute hielten ihn für verrückt. Aber das war er nicht, er war nur seiner Zeit voraus. Die Antwort auf seine Frage lautet ›Ja‹. Wir könnten es nicht nur, wir müssen es. Und Hydroponik ist erst der Anfang.«

Sie gingen weiter, vorbei an Gemüsebeeten, die viel sattere Farben aufwiesen, als man sie gewohnt war. Schließlich erreichten sie einen Sektor, wo technische Geräte, Diagramme und Zeichnungen versammelt waren.

»Hier sehen Sie den modernen Landwirt, wie er sein wird«, sagte Buher und wies auf ein kompliziertes, maßstabsgerechtes Modell. »Er sitzt in seinem Zentralturm an einer Konsole. Fernsehanlagen und Datenspeicher liefern ihm Informationen über seine Felder. Gepflügt wurden diese von Ultraschallwellen durch kleine, ferngesteuerte Flugzeuge. Seine Computermaschinen können pflücken, sortieren und mit mechanischen Fingern verpacken.«

»Und was bringt das für hungernde Chinesen?« fragte Atherton nach einer Pause.

»Es ernährt sie!« rief Buher. »Die Chinesen sind stolz auf die Tatsache, daß sie den ganzen Tag nur mit einer Schale Reis im Magen marschieren können, aber was soll das für eine Leistung sein? Wir müssen diese Leute ernähren! Dazu müssen die Meere in Farmen verwandelt werden, man muß neue, schnellwachsende Reissorten züchten, man muß Kunstfleisch produzieren. Und wir – der Thorn-Konzern – müssen die Führung übernehmen. Wir müssen das Land besitzen oder pachten. Wir werden einen Anteil der Ernten und der Tiere besitzen oder kontrollieren. Wir werden die Düngemittel herstellen, und wir werden die Maschinen konstruieren und bauen, die unfruchtbares Land und verschmutzte Meere in bestellbare, üppige Gärten verwandeln werden.«

»Und was wären *Sie*?« fragte Atherton. »Der Zar dieses Utopia?«

Buher war keineswegs beleidigt. Halb zu sich selbst sagte er, während er in das grüne Meer hineinstarrte: »Wissen Sie . . . es hat einmal, hoch in den mexikanischen Bergen, einen ganz primitiven Stamm gegeben, der auf sehr fruchtbarem Boden lebte, aber einfach nicht die technischen Fähigkeiten besaß, ihn auch zu bestellen. Eine amerikanische Baugesellschaft errichtete dort Straßen, und bevor man abzog, gab man den Leuten einen Traktor und erklärte ihnen den Gebrauch. Und was, glauben Sie, haben die Leute mit dem Traktor gemacht, nachdem sie gelernt hatten, ihre Felder zu pflügen?«

»Sie haben ihn gegessen«, sagte Pasarian.

Buher ging auf die sarkastische Bemerkung nicht ein.

»Sie haben rundherum eine Kirche errichtet, ihn auf einen Altar gestellt und angebetet«, sagte Buher.

Atherton zog die Brauen zusammen.

Ein Techniker im weißen Kittel kam in diesem Augenblick herangelaufen.

»Entschuldigen Sie, Mr. Thorn«, sagte er keuchend. »Sie werden am Telefon verlangt. Dringend.«

Richard bedankte sich und machte sich auf den Weg, während hinter ihm die hitzige Diskussion weiterging.

»Die Ölerzeuger haben nicht gezögert, uns das Messer an den Hals zu setzen, nicht wahr?« sagte Buher. »Warum soll es bei der Nahrung anders sein?« Er hob die Hände. »Wenn ein Messer auf deinen Bauch zielt, behält man die Hände bei sich, ja? Kontrolle. Organisation. Weshalb soll meine Haltung unethisch sein? Sie ist die einzige Alternative in einer Welt, die immer komplexer wird.«

Atherton blieb skeptisch.

»Wenn wir aus den Hungernden der Welt Pachtbauern machen wollen, warum gehen wir nicht gleich aufs Ganze und machen sie zu Sklaven?« sagte er ungeduldig.

»Zu Kunden«, antwortete Buher mit Nachdruck. »Und der springende Punkt ist, wir sorgen dafür, daß sie satt werden.«

»Ich muß Paul recht geben«, erklärte Pasarian plötzlich, dem es auf nichts ankam als auf dies. »Ich finde, wir sollten diesen neuen Weg beschreiten.«

Richard kam im gleichen Augenblick leichenblaß zurück.

»Marion ist gestern nacht im Schlaf gestorben«, sagte er. »Herzversagen.«

Atherton war entsetzt.

»Oh, Richard!« rief er. »Das tut mir aber leid!«

Thorn nickte knapp.

»Ich muß gehen«, sagte er. »Können Sie mich zum Hubschrauber fahren?«

»Selbstverständlich«, sagte Atherton.

»Paul«, ordnete Thorn an, »bitte telefonieren Sie sofort mit dem Vorstand. Und sorgen Sie dafür, daß die leitenden Herren im Ausland telegraphisch verständigt werden.«

»Wird gemacht«, nickte Buher.

»In zehn Tagen findet eine Vorstandssitzung statt. Die Beerdigung ist in drei Tagen. Keine Blumen; ersatzweise Spenden an die Herzforschung. Und ich kümmere mich um die Banken und Wall Street.« Richard verabschiedete sich mit Händedrücken und wandte sich ab.

Buher hielt ihn am Ärmel zurück.

»Richard, können wir morgen miteinander frühstücken, um abschließend über das Projekt hier zu sprechen?« fragte er.

Atherton war entsetzt, aber Thorn blieb ruhig.

»Gewiß«, sagte er. »Kommen Sie gegen acht Uhr zu mir in die Wohnung.« Er entfernte sich, gefolgt von Atherton.

Pasarian schüttelte den Kopf. Buher ließ sich wirklich keine Gelegenheit entgehen. Eine alte Frau war tot. Nun gut, hätte er wohl gesagt, mag sein, aber wir anderen leben weiter.

»Die Thorns sind also schon in die Stadt gezogen?« fragte Buher.

Pasarian nickte. »Heute.«

»Der Winter kommt«, meinte Buher. Er machte sich auf die Suche nach einem Telefon, um Thorns Anweisungen auszuführen.

Zu diesem Zeitpunkt flog dreißigtausend Fuß über dem Atlantik, nicht weit von der Straße von Gibraltar entfernt, eine Linienmaschine der El Al nach Westen. Gestartet war sie auf dem Flughafen von Tel Aviv.

In der Touristenklasse, hinter der linken Tragfläche, saß eine gutaussehende Engländerin mit kastanienbraunen Haaren und blitzenden Augen. Sie hieß Joan Hart. Sie war, wie

Dr. Warren angekündigt hatte, auf dem Weg nach Amerika, um ein Gespräch mit dem schwer zu fassenden Richard Thorn zu führen. Allerdings nicht aus den Gründen, die er vermutete.

Seit dem plötzlichen Verschwinden ihres Freundes Michael Morgan vor sieben Jahren hatte Joan Hart recherchiert – in der Vergangenheit, in der Bibel, in den Tatsachen, um die Kette sonderbarer Todesfälle, die als Dreh- und Angelpunkt einen kleinen Jungen zu haben schienen – Damien Thorn.

Und Joan war von der Wahrheit überzeugt worden. Sie empfand sich als Gottesbotin. Obwohl Bugenhagen als seinen Nachfolger Michael Morgan vorgesehen hatte, war daraus nichts geworden. Aber auch Joan hatte an ihrem Treffen teilgenommen gehabt. Sie hatte alles mitgehört und glaubte daran, daß ihre Anwesenheit kein Zufall gewesen war. So, wie es einen Grund dafür gegeben hatte, daß sie an jenem schwülen Nachmittag in Akka vor sieben Jahren mit in dem kleinen Café gesessen hatte, so gab es jetzt auch eine Mission für sie – dafür zu sorgen, daß dieser neue Anti-Christ seinen dreizehnten Geburtstag nicht überlebte, denn an diesem Tag würde er wissen, wer er war, und es würde um so schwieriger, wenn nicht unmöglich sein, ihn danach noch zu vernichten.

Joan wurde nicht anders behandelt als alle anderen Kassandra-Figuren der Geschichte. Niemand glaubte ihr. Alle, die sie kannten, lachten und meinten, es handle sich um eine ihrer vorübergehenden Marotten. Leute, die sie nicht kannten, hielten sie für geisteskrank.

Und Joan war ihrer geistigen Gesundheit selbst nicht so sicher gewesen – bis vor einer Woche. Sie hatte den Auftrag erhalten, einen Sonderbericht über die Ausgrabung bei Belvoir zu schreiben, etwas, worauf sie lange gewartet hatte. Sie war dabei gewesen, als man die Gebeine der beiden Männer gefunden hatte, und sie hatte sich Jigaels Mauer genau ansehen können.

In diesem Augenblick war ihr klar geworden, daß sie nicht geisteskrank sein konnte. In diesem Augenblick hatte sie begriffen und geglaubt. Und sie hatte beschlossen, nach Amerika zu fliegen, um Richard Thorn mit der Wahrheit zu konfrontieren und alle jene, die in unmittelbarer Gefahr schwebten, zu warnen, daß der Sohn des Teufels mitten unter ihnen lebte.

Keine leichte Aufgabe, aber sie widmete sich ihrer Mission mit der ganzen Hingabe einer wahrhaft Gläubigen.

3

Das Eßzimmer von Thorns Stadtwohnung war von ruhiger Eleganz, dunkel getäfelt, mit Möbeln aus weichem, braunem Leder, Chrom und Glas. Thorn begann den Tag gewöhnlich im hellen, luftigen Frühstücksraum neben der Küche, aber da es sich bei dem Treffen mit Buher um eine Art Arbeitsfrühstück handelte, zog er es vor, das stillere, förmlichere Eßzimmer zu benutzen.

Während sie ihre Grapefruit löffelten, sprachen die beiden Männer noch über andere Themen.

»Und wann wollen Sie die Ausstellung eröffnen?« fragte Buher mit höflichem Interesse an Thorns Hobby. Bevor Thorn antworten konnte, brachte ein Butler ein silbernes Tablett mit den weichgekochten Eiern.

»Das hängt davon ab, wann die letzten Kisten eintreffen«, erwiderte Thorn, »aber wir denken, an Ostern.«

Thorn wartete, bis der Butler sich zurückgezogen hatte, bevor er das Gespräch auf das eigentliche Tagesthema brachte.

»Paul«, sagte er, »Ihr Bericht ist hervorragend, und wie Sie das in einem Monat geschafft haben, ist mir unbegreiflich.«

Buher war zu erfahren, um nicht zu wissen, worauf das hinauslief.

»*Aber . . .*«, nahm er Thorns Einwand vorweg.

Thorn lächelte.

»*Aber . . .* ich halte es nicht für richtig, ein derart radikales Projekt in Angriff zu nehmen, wenn wir nicht die volle Zustimmung sämtlicher leitender Herren besitzen.«

»Und Bill Atherton ist dagegen.«

»Ja, und ich vertraue ihm. Sie sollten es auch tun. Er mag kein Meteor sein, wie so manche junge Genies; aber er weiß, was er tut.« Thorn schlürfte seinen Kaffee. »Es wäre mir lieb, wenn Sie sich mehr anstrengen würden, mit ihm auszukommen«, fuhr er fort. »Das wäre nämlich Ihrem Aufstieg förderlicher.«

Buher wußte, daß das, was er sagen wollte, gefährlich war, aber er beschloß, das Risiko einzugehen. Mit übergroßer Vorsicht erreichte man gar nichts.

»Richard«, sagte er und beugte sich vor, »wenn Bill Athertons Abneigung gegen mich anhält – wenn meine Laufbahn hier davon abhängt, ob ich in der Gunst eines Mannes stehe, der mich nicht mag –, dann wäre es für alle Beteiligten vielleicht das Beste, wenn ich ausscheide.«

»Unsinn«, erwiderte Thorn. Er lächelte und fügte hinzu: »Ihre Zeit kommt.«

Buher nickte. »Also gut«, sagte er. »Ich lege meine Gedanken vorerst auf Eis.«

Bis meine Zeit wirklich gekommen ist, dachte er.

Nach dem Frühstück begleitete Buher Thorn zu der Limousine, die ihn zum Flughafen bringen sollte. Thorn hatte eine Besprechung in Washington, die sich trotz Marions Tod nicht verschieben ließ.

Als sie sich verabschiedeten, sagte Thorn: »Sie kommen doch zur Geburtstagsparty der Jungen am Wochenende, nicht? Oben am Seehaus?«

»Möchte ich um keinen Preis versäumen«, sagte Buher. »Ist der See schon zugefroren?«

»Aber gewiß«, entgegnete Thorn und legte Buher die Hand auf die Schulter. »Bringen Sie Ihre Schlittschuhe mit.«

Buher nickte und winkte, dann ging er zur Ecke, um ein Taxi zu nehmen. Er lachte vor sich hin, als er sich Bill Atherton im Geschäftsanzug mit Krawatte, Mantel und Schal vorstellte, wie er auf dem zugefrorenen See, der den Thorns privat gehörte, herumstolperte. Das sollte eigentlich lustig werden.

Als Thorn einsteigen wollte, hörte er eine weibliche, offenkundig britische Stimme rufen: »Mr. Thorn? Oh, Mr. Thorn!«

Er drehte sich um und sah eine außerordentlich hübsche junge Frau, die über die Straße lief und aufgeregt winkte. Sie trug einen hellroten Wollmantel mit Pelzkragen, rote Handschuhe und schwarze Lederstiefel mit hohen Absätzen; über einer Schulter hing eine große, schwarze Ledertasche. Sie lächelte strahlend, aber ein wenig gezwungen.

Thorn sah sie leicht verwirrt an. Sie kam ihm bekannt vor, obwohl er wußte, daß er sie noch nie gesehen hatte. Dann fiel ihm ein, wo sie ihm schon begegnet war: auf einem von Warrens Dias, neben der Statue der Hure von Babylon.

Joan Hart, die Journalistin.

Thorns Vergnügen daran, einer so hübschen Frau zu begegnen, verflog augenblicklich. Eine Reporterin, die ihn zu einem Interview bewegen wollte, hatte Warren gesagt. Bevor er jedoch einsteigen konnte, war sie zur Stelle.

»Entschuldigen Sie das Geschrei«, sagte sie, »aber ich wollte Sie nicht entwischen lassen . . .«

»Schon gut«, antwortete Thorn höflich, aber reserviert.

»Mein Name ist Joan Hart. Ich glaube, Charles Warren hat von mir gesprochen.«

»Allerdings«, nickte Thorn. »Ich hatte ihn gebeten, Ihnen zu erklären –«

»Hat er getan«, unterbrach sie ihn. »Hier ist es wirklich eiskalt. Könnten wir uns denn nicht in Ihren Wagen setzen, damit Sie mir erklären können, warum Sie mir kein Interview geben wollen?«

Thorn lächelte unwillkürlich, wies in den geräumigen Fond und sagte: »Steigen Sie ein.«

Als sie es sich bequem gemacht hatte, begann Joan Hart in ihrer Tasche zu kramen, zog ein seidenes Taschentuch heraus und putzte sich die Nase.

»Wenn es kalt ist, bin ich einfach ein Wrack«, sagte sie.

»Miss Hart –«, begann Thorn.

»Ich weiß. Sie sprechen nie mit Reportern.«

»Und ich bin auf dem Weg zum Flughafen.«

»Zwei Minuten«, sagte sie. »Das ist alles, was ich verlange. Bitte.«

»Ich darf meine Maschine nicht verpassen. Wenn Sie mich ein andermal sprechen wollen –«

»Ich dachte, Flugzeuge warten auf Richard Thorn.«

»Dieses nicht.«

»Dann fahre ich mit Ihnen zum Flughafen.« Sie lächelte ihn an. »Wohin fliegen Sie?«

Thorn drückte auf den Knopf der Sprechanlage und sagte: »Fahren wir, Murray.« Dann beantwortete er Joans Frage: »Nach Washington.«

Sie lächelte wieder.

»Air Force One wartet auf keinen. Was machen Sie, beraten Sie den Präsidenten, wie er das Land führen soll?«

Nein«, sagte Thorn. »Nur den Außenminister. Also, was kann ich für *Sie* tun?«

Joan Hart griff wieder in ihre Tasche, zog ein ledernes Notizbuch und einen Kugelschreiber heraus und verwandelte sich in die erfahrene Reporterin, die sie auch war.

Bis sie den Flughafen O'Hara halb erreicht hatten, ging Thorn das Interview auf die Nerven.

»Sie haben mir bis jetzt sieben Fragen gestellt, Miss Hart«, sagte er, »und jede einzelne hat mit Geld zu tun.«

Sie lächelte ihn bezaubernd an.

»Geld regiert die Welt, nicht wahr?«

»Geld, und noch ein paar andere Dinge«, erwiderte Thorn.

Joan spürte, daß er unruhig und gereizt wurde, aber sie konnte ihm noch nicht sagen, was ihr auf dem Herzen lag.

»Äh . . . Ihr Vater hat das Museum 1940 bauen lassen, soviel ich weiß. Wieviel hat es gekostet?«

»Um die zehn Millionen Dollar.«

»War Ihr Vater, bevor er nach Chicago kam, nicht im Viehhof tätig?«

»Stimmt.«

»Und hat er Sie und Ihren Bruder Robert nicht veranlaßt, nur kalt zu baden und auf harter Unterlage zu schlafen, damit Sie sehen sollten, was es heißt, arm zu sein?«

Thorn begann zu lachen.

»So etwas wird über uns verbreitet?«

Die Limousine kam zum Stehen. Sie hatten die Michigan-Avenue-Zugbrücke über den Chicago River erreicht. Schrille Glocken und zuckende rote Lampen zeigten an, daß die Brücke gerade hochgezogen wurde, um ein Schiff passieren zu lassen. Thorn schaute zum Fenster hinaus und erkannte einen Tanker seines Unternehmens.

Joan Hart benützte diesen Augenblick, um das Thema zu wechseln. Der unfreiwillige Aufenthalt schien ihr von Vorbedeutung zu sein.

»Haben Sie Bugenhagen eigentlich kennengelernt?« fragte sie.

»Nein«, entgegnete Thorn.

»Wußten Sie, daß er nicht nur Archäologe, sondern auch Exorzist gewesen ist?«

»Ich begreife nicht, was das mit –«

»Sein Skelett ist in Ihrer Ausgrabung bei Belvoir gefunden worden«, fiel sie ihm ins Wort. »Wußten Sie das nicht?«

»*Ein* Skelett, Miss Hart. Es ist bislang nicht identifiziert worden.«

»*Zwei* Skelette, Mr. Thorn«, sagte Joan mit Nachdruck. »Bugenhagen und ein junger Archäologe namens Michael Morgan. Morgan war mein Verlobter, Mr. Thorn. Ich war an dem Tag, als er verschwand, mit ihm zusammen. Und mit Bugenhagen.«

In diesem Augenblick wurde die Durchfahrt wieder freigegeben, und Murray trat auf das Gaspedal. Thorn drückte wütend auf den Knopf der Sprechanlage.

»Murray, halten Sie an! Miss Hart möchte aussteigen!«

»In der Woche, bevor Ihr Bruder starb, flog er nach Israel, um mit Carl Bugenhagen zu sprechen«, stieß Joan hervor. »Einige Tage nach *seinem* Tod wurden Bugenhagen und Michael verschüttet. Macht Sie das nicht nachdenklich, Mr. Thorn?«

Das hat mir gerade noch gefehlt, dachte Thorn, eine Verrückte, die an eine Verschwörung glaubt. Jetzt wird sie mir gleich noch verraten, wer hinter den Morden an den Kennedys stand.

Mit gepreßter Stimme sagte er: »Zwingen Sie mich nicht dazu, Sie hinauszuwerfen, Miss Hart. Wir halten den Verkehr auf.«

»Sie wissen doch, warum die Polizei Ihren Bruder niedergeschossen hat, nicht wahr?« Joans Gesicht verzerrte sich. »Sie wissen von den Dolchen, nicht?«

Murray war ausgestiegen und hielt die Tür für sie auf.

»Alles, was ich weiß, ist, daß Sie meine und Ihre Zeit verschwenden, Miss Hart.«

»Bitte, hören Sie mich an!« sagte Joan flehend. »Ich gehe der Sache seit Jahren nach! Ich glaube, ich habe ein zusammenhängendes Bild –«

Richard Thorn unterdrückte ein Ächzen. Nicht noch einmal alles von vorn. Er hatte geglaubt, die Einzelheiten über die bizarren religiösen Aspekte beim Tod seines Bruders seien erfolgreich unterdrückt worden, aber offenkundig war dem nicht so.

Murray griff hinein und packte Joans Arm, ein wenig unsanfter, als nötig war. Sie wehrte sich verzweifelt und schrie Thorn an: »Sie schweben in höchster Gefahr!«

»Verschwinden Sie!« fauchte Thorn. »Kommen Sie nicht mehr in meine Nähe, verstanden!«

»Wenden Sie sich Jesus zu!« flehte sie.

»Murray, Herrgott noch mal!«

»Vertrauen Sie auf Christus!« schluchzte sie.

Murray zerrte sie aus dem Wagen und warf die Tür zu. Als

sie auf der Straße stand, schrie sie: »Ja! Um des Herrgotts willen! Nur Er kann Sie schützen! Sehen Sie sich die Gemälde an Jigaels Mauer an, Mr. Thorn! Betrachten Sie das Gesicht Satans und sagen Sie mir, wem es gehört!«

»Murray, befreien Sie mich endlich von dieser Verrückten! Fahren Sie ab!« zischte Thorn.

Murray sprang in den Wagen und legte den Gang ein. Als das Fahrzeug sich in Bewegung setzte, lief Joan Hart ihm nach, hämmerte auf die Heckscheibe und kreischte: »Hören Sie mich an! Sie müssen mich anhören!«

Aber der Wagen wurde schneller und zog davon. Sie blieb auf der Straße stehen, tränenüberströmt, und der kalte Wind bauschte ihren roten Mantel.

Als Reginald Thorn beschlossen hatte, ein Denkmal für sich zu errichten, war ihm ein Museum als das geeignete Objekt erschienen, und er hatte einen alten Freund, einen Mitarbeiter des großen Architekten Louis Sullivan, aufgesucht, um sich beraten zu lassen.

Thorn hatte klargemacht, daß er sich ein neoklassisches Gebäude vorstellte, etwas, das nicht nach wenigen Jahren schon wieder von der Mode überholt sein würde. Er wünschte ferner, daß ein junger Architekt die Entwürfe anfertigte, der von sich und seinen eigenen Ideen überzeugt war.

Sein Freund enttäuschte ihn nicht. Er stellte Thorn einen Mitarbeiter vor, einen Schüler von Frank Lloyd Wright, und die Pläne für das Thorn-Museum wurden in Angriff genommen.

Noch heute, vierzig Jahre danach, sah das Museum so neu und eindrucksvoll aus, als sei es erst Wochen zuvor entworfen und gebaut worden. Es stand am Ufer des Michigan-Sees, hinter dem teuersten und vornehmsten Abschnitt der Michigan Avenue, und brauchte sich vor den Mies-van-der-Rohe-Bauten ringsum nicht zu verstecken.

Als Joan Harts Taxi vor dem Musem hielt, sah sie große Transparente, die auf die laufende Ausstellung von Gemälden Edvard Munchs hinwiesen. Auf den Plakaten war Munchs berühmtestes und beängstigendstes Werk abgebildet, »Der Schrei«.

Joan Hart stand lange vor dem Bild, bevor sie die Rampe zum Museumseingang hinaufstieg. Das Gemälde schien ihr ein weiterer Hinweis darauf zu sein, daß sie auf der richtigen Spur war, und sie fühlte sich dadurch ermutigt.

Drinnen fühlte sie sich aber durch die Riesigkeit der Halle wieder klein und verwundbar. Doch sie wußte, warum sie hergekommen war und was sie suchte. Eine Hinweistafel wies ihr den Weg zur Galerie in der ersten Etage, wo Charles Warren seine Ausstellung von Gegenständen aus der unglückseligen Ausgrabung in der Burg Belvoir vorbereitete.

Warren war umgeben von einem Wirrwarr von Grundrissen und Photographien; er führte Ann Thorn vor, wie er die Ausstellung einrichten wollte. Ann interessierte sich zwar oft für die Angelegenheiten des Museums, aber Warren hatte sie noch nie so von Neugier getrieben gesehen wie diesmal.

»Wir wollen die Katakombe hier am Ende rekonstruieren«, sagte er und deutete auf einen Grundriß. »Wenn die Besucher von einer Galerie zur anderen gehen, haben sie sie damit ständig im Blickfeld. Sie rücken immer näher, bis sie vor dem Verlassen der Ausstellung hindurchgehen müssen.«

»Sehr einfallsreich«, meinte Ann.

Warren lächelte.

»Wie ich höre, ist noch etwas gefunden worden, nachdem ich abgereist war, nämlich etwas, das Jigaels Mauer genannt wird. Man wird die Stücke sofort schicken, sobald sie abgetragen sind.« Er wies auf einen anderen Raum des Grundrisses. »Diese Galerie reserviere ich dafür für alle Fälle.«

»Wer war dieser Jigael eigentlich?« fragte Ann.

»Eine sehr mysteriöse Gestalt«, antwortete Warren. »Mönch und Exorzist. Er soll im dreizehnten Jahrhundert gelebt haben. Angeblich sei ihm der Satan erschienen, und er verlor begreiflicherweise den Verstand.«

Warren hatte erwartet, daß Ann darauf mit einem Lächeln reagieren würde, aber zu seiner Überraschung blieb sie ernst.

»Dann tauchte er unter«, fuhr er fort. »Anscheinend war er vom Antlitz des Teufels so besessen, daß er den Antichrist malen mußte, wie nur er ihn gesehen hatte, von seiner Geburt bis zu seinem Sturz.« Warren zuckte die Achseln. »Er legte offenbar größten Wert darauf, der Welt eine Darstellung seiner Vision zu hinterlassen. Jigael selbst tauchte nie mehr auf. Nur seine Mauer.«

»Ich kann es kaum erwarten, sie zu sehen«, sagte Ann.

»Und jetzt zu Ihrem Lieblingsstück – der Hure von Babylon«, fuhr Warren fort und deutete wieder auf den Grundriß. »Wir wollen sie hier in Saal IV genau in die Mitte setzen, damit niemand sie übersehen kann.«

In diesem Augenblick kam Joan Hart herein.

Warren hob den Kopf.

»Joan!« sagte er überrascht und erfreut. »Das ist ja wunderbar! Wann sind Sie angekommen?«

»Gestern abend.« Sie lächelte nervös.

»Ann«, sagte Warren, »das ist Joan Hart, die junge Dame –«

»– auf Ihrem Dia«, ergänzte Ann.

Warren nickte.

»Ich bin Ann Thorn. Sie sind die junge Dame, die meinen Mann zu einem Interview bewegen wollte.«

»Ich habe mit ihm gesprochen«, sagte Joan.

Warren sah sie aufgebracht an.

»Ich habe Ihnen doch ausdrücklich erklärt –«, begann er.

»Sie haben nicht begriffen, wie wichtig das für mich ist«, unterbrach ihn Joan. »Ich konnte mich mit der Ablehnung einfach nicht abfinden.«

»Sie müssen große Überredungskunst besitzen«, meinte Ann trocken. »Wie haben Sie es geschafft, an ihn heranzukommen?«

»Ich habe mich ihm an den Hals geworfen!« erwiderte Joan schnippisch. »In seinem großen, schönen Auto.«

»Wirklich?« sagte Ann. »Das hat ihm sicher gefallen.«

»Nun ja, nicht zu Anfang«, sagte Joan, um den Eindruck zu erwecken, als habe das Interview ein gutes Ende gefunden. Aus irgendeinem Grund wollte sie Ann eifersüchtig machen. Sie wußte selbst nicht, warum, aber Ann hatte etwas Unbestimmbares an sich, das sie nicht mochte. Und Thorn war ihr sehr sympathisch gewesen, bis er sie aus seinem Auto geworfen hatte. »Er hat keine sehr hohe Meinung von Journalisten, nicht wahr?« fuhr sie fort.

»Er ist der Ansicht, daß sie vom Unglück anderer Menschen leben«, antwortete Ann, ohne zu verhehlen, daß sie diese Ansicht teilte.

Joan lächelte strahlend.

»Wie Schakale?« sagte sie.

»Ein sehr guter Vergleich«, erwiderte Ann mit unbewegter Miene.

Warren verspürte Unbehagen bei diesem Geplänkel, das er nicht ganz verstand, und versuchte einzugreifen.

»Joan schreibt vorwiegend über Archäologie«, sagte er, sah aber selbst ein, daß das eher lahm klang.

»So, tut sie das?« fragte Ann nur und lächelte.

Warrens Taschenrufgerät piepste plötzlich. Meist ärgerte er sich über das Ding, weil es ihn wie mit einer unzerreißbaren Nabelschnur an seine Obrigkeit band, aber diesmal war er froh, abgerufen zu werden.

»Bin gleich wieder da«, sagte er und überließ es den Damen, ihre Meinungsverschiedenheiten ohne ihn auszutragen.

»Wissen Sie«, sagte Joan beiläufig, »Ihr Mann ist der Presse gegenüber ein bißchen unfair. Zu seinem Bruder war sie sehr freundlich.«

»Wie meinen Sie das?« fragte Ann scharf.

»Die Berichte über seinen Tod waren sehr zurückhaltend abgefaßt. Schließlich sind die Umstände etwas ungewöhnlich gewesen.«

»Waren sie das?« antwortete Ann. »Ich habe Richards Bruder nicht gekannt.«

Joan wirkte plötzlich wie vom Blitz getroffen.

»Richtig!« sagte sie. »Das hatte ich vergessen! Sie sind Richards zweite Frau!«

»Miss Hart –«, begann Ann.

»Daß ich das richtig einordne«, fuhr Joan fort. »Damien ist der Sohn seines Bruders und Mark sein Sohn aus erster Ehe. Sie sind von keinem der beiden Jungen die Mutter.«

»Eigentlich sollten Sie für Frauenzeitschriften schreiben«, erklärte Ann sarkastisch.

»Und Damien«, ließ Joan nicht locker. »Erzählen Sie mir von ihm. Was für ein Junge ist er? Gefällt es ihm auf der Militärakademie?«

Bevor Ann antworten konnte, stürzte Charles Warren herein.

»Ann!« rief er. »Kein weiteres Wort!« Er packte Joan bei den Schultern und schob sie zur Tür. »Sie haben mich blamiert«, sagte er erregt. »Richard ist außer sich!«

Joan glaubte, nichts mehr zu verlieren zu haben.

»Sie sind in Gefahr!« sagte sie gepreßt. »Sie alle!«

»Was ist denn in Sie gefahren?« Warren versuchte sie hinauszudrängen.

»Ich habe Jigaels Mauer gesehen«, sagte sie, als erkläre das alles.

Es hatte keine Wirkung auf Warren.

»Was Sie gesehen haben, ist mir gleichgültig.«

»Aber es darf Ihnen nicht gleichgültig sein!« Joan riß sich los und drehte sich nach Ann um. »Damien –«

»Was ist mit Damien?« fragte Ann scharf.

»Er . . . er . . .«, stammelte Joan, dann überlegte sie es sich schlagartig anders. »Ich weiß es nicht!« Sie rannte hinaus.

Ann und Warren starrten ihr nach, als sie durch den langen Korridor lief und um eine Ecke verschwand.

»Was hatte denn das alles zu bedeuten?« fragte Ann betroffen.

Warren schüttelte betrübt den Kopf.

»Ich habe keine Ahnung«, sagte er. »Jesus liebt alle, aber ihn lieben ein paar sehr sonderbare Wesen.«

Warren hatte es ernst gemeint, aber Ann fand die Bemerkung aus irgendeinem Grund überaus komisch. Als ihr Lachen verklungen war, umarmte sie Warren, und die beiden befaßten sich wieder mit den Vorbereitungen für die Ausstellung.

Obwohl es Warren und Ann so vorgekommen war, als sei Joan blindlings und verwirrt davongestürzt, ohne zu wissen, wohin sie wollte, stimmte das ganz und gar nicht.

Joan war in ihrem ganzen Leben noch nicht entschlossener gewesen. Verfolgt von Dämonen, und, nach ihrer Ansicht, einen Dämon verfolgend, wußte sie genau, was sie zu tun hatte.

Derselbe Antrieb hatte sie von Tel Aviv über den Ozean geführt, und sie dachte nicht daran, sich aufhalten zu lassen, weil man sie hier in Amerika für eine Verrückte zu halten schien.

Sie begab sich direkt zum nächsten Avis-Büro, mietete ein Auto und fuhr nach Norden. Am frühen Nachmittag erreichte sie die Militärschule, wo Mark und Damien Thorn untergebracht waren. Sie kam zum Training der Footballmannschaft zurecht.

Die Militärakademie legte größten Wert auf Leibeserziehung. Das übertraf das Maß an anderen Schulen weit. Man ging davon aus, daß die Kadetten eines Tages Soldaten sein und für ihr Land kämpfen würden. Im übrigen würden sie auch dann gesunde, kräftige Körper brauchen, wenn sie, was wahrscheinlicher war, den Weg ihrer Väter beschritten und an Schreibtischen saßen oder an Empfängen teilnehmen mußten.

Die Ziele der Akademie waren Joan Hart völlig unwichtig. Sie wurde von ihrer eigenen Manie verzehrt: Sie mußte Damiens Gesicht sehen, um vergleichen zu können, wie groß die Ähnlichkeit mit der irren Vision Jigaels war, neben dessen Meisterwerk das Skelett ihres Geliebten sieben Jahre lang gelegen hatte.

Wären die Footballspieler auf dem Feld einige Jahre älter gewesen, hätte Joans plötzliches Erscheinen wohl zu einem kleinen Aufruhr geführt. Sie war unzweifelhaft die schönste Frau, die das Gelände der Akademie seit langem betreten hatte.

Aber niemand beachtete sie. Die einzigen Zuschauer waren stolze Eltern, die ihre Söhne anfeuern wollten. Sie saßen in kleinen Grüppchen auf der Tribüne und verfolgten das Spiel, von Zeit zu Zeit mit den Füßen stampfend, um die Kälte zu vertreiben.

Neff wäre natürlich im richtigen Alter gewesen, um Joan zu bemerken, aber er verfolgte das Spiel zwischen den beiden Mannschaften mit unbeirrbarer Aufmerksamkeit. Selbst wenn sie ihm aufgefallen wäre, hätte er sich ihrem trockenen englischen Charme gegenüber immun erwiesen.

Joan Hart sah einen jungen Kadetten, der nicht mitspielte. Er war mager, hatte Mitesser und trug eine Brille mit dicken Gläsern. Er blickte so gebannt auf das Spielfeld, daß er rings um sich nichts anderes wahrzunehmen schien. Offenbar gab es dort jemanden, der für ihn eine Art Held war.

In einer anderen Gemütsverfassung hätte Joan einiges darauf verwetten mögen, schnell zu erkennen, wer dieser Held war, aber sie interessierte sich nur für eines: Sie wollte wissen, ob Damien Thorn mitspielte, und wer von den Jungen er war. Man konnte wegen der großen Helme von den Gesichtern kaum etwas erkennen.

Sie schickte sich gerade an, den mageren Kadetten zu fragen, als Neff das Spiel unterbrechen ließ. Joan bemerkte es in ihrer Erregung kaum. Sie berührte den Jungen an der Schulter und fragte mit lauter Stimme: »Spielt Damien Thorn mit?«

Bevor der Junge antworten konnte, drehte sich einer der Spieler auf dem Platz nach Joan um. Sein Blick schien sich in ihren Rücken zu bohren. Sie spürte den Blick und fuhr herum. Sie glaubte die Augen zu erkennen, obwohl sie sie als düstere gelbe Katzenaugen gemalt gesehen hatte, voll glitzernder Lichter und ohne Pupillen.

Der Spieler nahm plötzlich den Helm ab, und Joan sah das Gesicht auf dem Gemälde bei Akka.

»Da ist Damien Thorn«, sagte der Junge neben Joan, aber sie bedurfte der Antwort nicht mehr.

Sie wich entsetzt zurück. Ihr schönes Gesicht hatte sich wild verzerrt und spiegelte den Ausdruck eines Menschen wider,

der an die Existenz des Teufels glaubt und ihm in menschlicher Gestalt begegnet ist.

Sie drehte sich um und entfernte sich in bemüht ruhiger Haltung, aber das Entsetzen packte zu; bevor sie mehr als ein paar Schritte gemacht hatte, begann sie zu laufen und stürzte Hals über Kopf auf ihr Auto zu.

Ihr Rücken flammte unter den Schulterblättern, wo Damiens Blick sie getroffen hatte.

Als sie endlich die Zuflucht ihres Mietwagens erreicht hatte, hörte sie Neffs Stimme sagen: »Herkommen, Thorn, aber dalli!«

Die Hitze an ihrem Rücken ließ nach. Sie kramte in der Handtasche nach den Autoschlüsseln, fand sie, verfehlte zweimal das Zündschloß, stieß den Schlüssel endlich hinein, trat aufs Gas und fegte mit quietschenden Reifen davon, fort von der Akademie, fort vom grauenhaft vertrauten Gesicht Damien Thorns, den sie zuvor noch nie gesehen hatte.

Sie fuhr weiter nach Norden. Sie wußte nicht, warum. Das Logische wäre gewesen, umzukehren und nach Chicago zurückzufahren, aber sie wußte, daß sie dort keine Hilfe zu erwarten hatte. Sie würde keine Gelegenheit mehr bekommen, mit den Thorns zusammenzutreffen, die sie für eine Geisteskranke hielten. Charles Warren war ihre größte Hoffnung gewesen. Sie wußte, daß er an Gott so fest glaubte wie sie, wenn auch nicht mit solcher Heftigkeit. Und wenn er an Gott glaubte, mußte er auch an die Macht des Teufels glauben. Trotzdem wußte sie nun, daß auch Warren ihr nicht helfen würde. Nicht mehr. Nicht nach der Szene im Museum. Sie fragte sich verzweifelt, wo die Macht des Gottessohnes blieb. Warum half er ihr nicht, die anderen Menschen zu überzeugen?

Es war eine Sache, im Zimmer oder in der Kirche zu sitzen und zu fragen: »Glaubst du an die Existenz des Satans?« und die Antwort zu hören: »Ja, gewiß. In der Offenbarung wird er beschrieben.« Es war wieder eine ganz andere Sache, von einem Mann wie Charles Warren zu verlangen, er solle glauben, der Adoptivsohn seines Dienstherren sei die Verkörperung des Teufels. Charles Warren war Christ, aber auch ein praktisch gesinnter Mensch; das hieß, daß er sein Christentum praktizierte, solange es nicht die Sicherheit seiner Anstellung bedrohte.

An wen konnte sie sich noch wenden? Welche Unterstützung konnte sie gegen diesen mächtigsten, verschlagensten und wandelbarsten aller Gegner finden?

Joan Hart fuhr weiter, beinahe automatisch, während sie über das Problem nachdachte.

Nach einiger Zeit wußte sie nicht mehr, wo sie sich befand.

Sie schaute sich um und entdeckte, daß sie weit landeinwärts gefahren war. Sie befand sich in einer ländlichen Gegend, die endlos weit und eben war. Der Horizont erstreckte sich unbegrenzt in alle Richtungen. Dreihundertsechzig Grad kalter, flacher Ebene. Die Straße, die sie befuhr, war die einzig sichtbare, und sie durchschnitt das Flachland wie eines von Bugenhagens Messern.

Der Wind kam stöhnend auf und peitschte die Bäume. Joan bekam es plötzlich mit der Angst zu tun und beschloß, lieber nach Chicago zurückzufahren oder irgendwo eine Unterkunft für die Nacht zu suchen.

Und dann stockte der Motor, setzte aus und stand still.

Der Wind erstarb ebenso plötzlich.

Der Wagen rollte noch ein Stück weiter und kam mitten auf der Straße zum Stehen.

Absolute Stille. Joan konnte nichts Lebendiges sehen oder

hören – keine Menschen, keine Tiere, keine Häuser, nicht einmal in der Ferne ein anderes Fahrzeug.

Nichts.

Sie versuchte den Motor wieder anzulassen, aber der Anlasser gab nicht einmal ein ersterbendes Geräusch von sich.

Sie versuchte es immer wieder, warf einen Blick auf die Benzinuhr. Der Tank war halb voll.

Offenbar lag ein anderer Defekt vor.

Sie dachte an Carl Bugenhagen und Michael, an ihren Tod, und begann zu frösteln.

Sie begriff plötzlich, woran es liegen mochte. Ihr Puls raste, ihr Blut hämmerte in den Ohren, während sie ihr Gehirn zermarterte. Sie wußte, daß sie in höchster Gefahr schwebte, und war entschlossen, einen Ausweg zu finden.

Sie schaute sich in alle Richtungen um, nach irgendeinem Lebenszeichen: einem Auto, Rauch aus einem fernen Kamin, nach einer Kuh, die irgendwo am Horizont weiden mochte.

Aber es gab nichts.

Sie blickte in beide Rückspiegel und schüttelte den Kopf. Die Stille war nervenzerreißend. Nervös schaltete sie das Autoradio ein, drückte der Reihe nach auf die Stationsknöpfe, ohne so recht zu beachten, was zu hören war.

Einmal erhaschte sie einen Fetzen Musik, »Over the Rainbow«, und sie dachte an die vielen Gelegenheiten, bei denen das Lied sie schon aufgemuntert hatte. Jetzt erfüllte die Melodie sie aber mit tiefer Furcht; sie kam sich noch einsamer und verlassener vor.

Der nächste Sender brachte einen Politiker, der mit brüllender Stimme seine Konkurrenten verdammte und die Zuhörer aufforderte, seine Kampagne mit Geld zu unterstützen. Joan schien es plötzlich, als spreche er eine fremde Sprache, als predige er Wirrnis und Sorglosigkeit.

Sie glaubte, den Verstand zu verlieren.

Sie schaltete das Radio ab, saß da und trommelte mit den Fingern auf das Lenkrad. Sie begann vor sich hinzumurmeln, kaum wahrnehmend, was sie sagte, oder auch nur, daß sie betete. »Vater unser, der du bist im Himmel«, flüsterte sie, »geheiligt sei dein Name, dein Reich komme, dein Wille geschehe . . .« Ihre Stimme erstarb.

Sie hob den Kopf und blickte wieder auf die Straße. Noch immer kein Anzeichen von Leben.

Da fiel ihr die Plakatwand auf, obwohl sie hätte schwören mögen, daß sie einen Augenblick zuvor noch nicht dagewesen war. Alt und verwittert sah sie aus, als stünde sie schon eine Ewigkeit an diesem Platz. »Bei Nancy«, hieß es dort. »Gutes Essen, kleine Preise.« Und darunter das Allerwichtigste: »3 Meilen.«

Wäre Joan mit der Umgebung besser vertraut gewesen, hätte sie gewußt, daß sie völlig verlassen war und ein Lokal »Bei Nancy« nicht mehr existierte. Aber sie zog es vor zu glauben, daß in einer Entfernung, die zu Fuß mühelos zurückzulegen war, sich ein Lokal befand, wo andere Menschen aßen und sich unterhielten und lachten.

Sie wünschte sich verzweifelt, zu ihnen zu gehören. Sie war überzeugt davon, daß sie dort Hilfe finden würde. Aber sie würde zu Fuß hingehen müssen.

Sie öffnete die Tür und stieg aus. Es war viel kälter geworden. Sie wollte nach hinten greifen, um ihren Mantel herauszuholen.

Da hörte sie plötzlich ein Flattern, gefolgt von einem sonderbaren Scharren auf dem Autodach.

Sie sprang zurück. Dort, keine fünf Zentimeter vor ihrem Gesicht, hockte ein riesiger schwarzer Rabe und starrte sie aus durchdringenden, bösartigen Augen an.

Sie kreischte und taumelte zurück, versuchte das Gleichgewicht zu halten. Der Rabe verfolgte sie mit den Augen, so, wie Damien es auf dem Spielfeld getan hatte. Sie wedelte mit dem Mantel, aber der Vogel blieb sitzen, riesenhaft und unbeweglich.

Sie stieß die Wagentür mit dem Fuß zu und wich zurück, zog den Mantel an, um sich vor der Kälte zu schützen, ließ den Raben keine Sekunde aus den Augen. Der Vogel hatte etwas zutiefst Schreckenerregendes an sich, und Joan glaubte zu wissen, was es war.

Den Vogel hatte der Teufel geschickt.

Der Rabe blieb an seinem Platz, regungslos, unerbittlich, scheinbar sicher in seinem Wissen, daß er sie mit einem einzigen Flügelschlag einholen konnte.

Den Blick auf den Raben gerichtet, ging sie rückwärts weiter die Straße hinunter, auf Nancys Lokal zu, bis sie gute vierzig Meter Abstand zwischen sich und den gigantischen Vogel gelegt hatte. Dann ließ sie den Kopf sinken, faltete die Hände und murmelte Sätze aus der Schrift vor sich hin, beinahe eine Beschwörungsformel.

»Sehet, ich habe euch Macht gegeben, zu treten auf Schlangen und Skorpione, und über alle Gewalt des Feindes; und nichts wird euch beschädigen.« Dann flüsterte sie: »Der Herr sei gelobt« und hob den Kopf. Der Rabe war *verschwunden*.

Joan stieß einen Schrei der Freude und Erleichterung aus. Was sie glaubte, war also wirklich wahr. Jesus besaß die Macht, das Böse zu vertreiben. Sie hatte zu ihm mit seinen eigenen Worten gebetet, und er hatte ihr die Macht gegeben, die Gewalt des Feindes zu besiegen. Der große, häßliche Vogel, vom Satan geschickt, war durch die Kraft Seines Wortes verbannt worden.

Und in diesem Augenblick landete der Rabe mit einem

gräßlichen Schrei von hinten auf ihr und stieß seine scharfen Klauen in ihre Kopfhaut.

Joan stieß einen gellenden Schrei aus, hieb auf das Wesen ein, ruderte mit den Armen, versuchte es von ihrem Kopf zu vertreiben, aber es hackte mit dem Schnabel auf ihre Arme ein, grub die Klauen tiefer und stieß sie so tief in ihr Fleisch, daß sie sich nicht loszureißen vermochte.

Mit glühenden, bösen Augen beugte der Rabe sich über Joans tränennasses Gesicht herab, riß den gezackten, gelben Schnabel weit auf und hackte auf ihr Gesicht immer wieder ein, riß mit jedem Hieb das Fleisch auf, bis der Schnabel rot von ihrem Blut war.

Joan schrie vor Schmerzen und hob das Gesicht zum Himmel, zu einem Himmel, den sie nicht länger sehen konnte, flehte jemanden, *irgend* jemanden an, sie von dieser Qual zu erlösen. Wo ihre Augen gewesen, waren nun zwei blutige Höhlen, aufgerissen und zerfetzt, während blutige Rinnsale wie Tränenströme über ihr Gesicht liefen.

Dann breitete der Rabe seine Flügel aus und schwebte davon, hoch hinauf in den Himmel wie ein Rachedämon aus der Hölle.

Joan wankte, von unerträglichen Schmerzen gepeinigt, von der Straße und glitt über eine schlammige Böschung in einen Graben. Sie blieb schluchzend liegen und wand sich, dann erschlaffte sie.

Minuten vergingen.

Und auf einmal näherte sich ein Geräusch, das Brummen eines Dieselmotors. Aus der Ferne kam ein sechsachsiger Lastzug heran, der sehr schnell fuhr.

Sie hob den Kopf. War es möglich? Sie raffte sich auf und versuchte auf die Straße zurückzugelangen. Sie glitt im Schlamm aus und rutschte in den Graben zurück. Ihre Knie

Joan Hart, eine Journalistin (Elizabeth Shepherd), wird von einem unheimlichen Raben angegriffen.

waren aufgeschürft, ihre Hände blutig. Endlich vermochte sie auf die Straße zu klettern. Der Lastzug kam näher. Sie betrat die Straße und winkte verzweifelt.

Die Schallwahrnehmung hat die Eigenheit, daß man, wenn ein Geräusch unmittelbar auf einen zukommt, nicht feststellen kann, ob es von vorne oder von hinten kommt. Und Joan Hart war blind.

Als der Lastzug um die Kurve fuhr, viel schneller, als den Umständen angemessen war, sah der Fahrer mitten auf der Straße eine Gestalt stehen, die wild winkte – und in die Gegenrichtung blickte.

Dem Fahrer blieb keine Zeit mehr. Es gab nichts, was er hätte tun können. Der Sechsachser rammte Joan Hart und schleuderte sie hoch wie eine Puppe. Sie war tot, bevor sie am Boden landete.

Der Lastwagen kam hundert Meter dahinter mit kreischenden Bremsen zum Stehen.

Die Stille wurde nur vom leerlaufenden Motor des Lastwagens und vom krächzenden Laut des Raben durchbrochen, der immer höher in den Himmel hinaufstieg, bis er mit dem Dunst in der Ferne zu verschmelzen schien.

4

Wenige Gegenden in den Vereinigten Staaten sind schöner als das Seengebiet von Wisconsin, und von allen Seen dort gilt bei vielen Leuten der Lake Geneva als der schönste. Er ist ideal gelegen: nah genug bei Chicago, um ein Wintersportzentrum für die reichen Bewohner der Stadt zu sein, und doch nicht so nah, daß er an Ferienwochenenden überlaufen wäre.

Lakeside, das Winterferienhaus der Thorns am Lake Geneva, war ein großer, weitläufiger Naturholzbau im Stil einer Jagdhütte, aber mit allen modernen Einrichtungen versehen, einschließlich so kostspieliger Anlagen wie einem Hubschrauberlandeplatz und einer internen Fernsehüberwachung. Gleich vielen reichen Leuten mit Kindern mußte Richard Thorn die Möglichkeit von Entführungen in Betracht ziehen. Die Fernsehmonitore waren allerdings erst nach der Entführung von Patty Hearst aufgestellt worden.

Lakeside besaß außerdem eines der modernsten Telefonsysteme privater Natur in den Vereinigten Staaten, da Thorn stets erreichbar sein mußte.

Die Thorns und einige ihrer Freunde und Bekannten – die Gruppen waren zumeist auswechselbar, da es bei der Vielseitigkeit des Konzerns Geschäftsbeziehungen in viele Richtungen gab – hatten sich an diesem Wochenende zum dreizehnten Geburtstag der Thorn-Söhne im Haus am See versammelt.

Obwohl Damiens Geburtstag eigentlich im Juni war – am sechsten, um genau zu sein – war er, seitdem er bei seinem Vetter in Amerika lebte, stets am selben Tag wie Marks Geburtstag gefeiert worden. Nur Richard erinnerte sich, daß sein verstorbener Bruder Robert in seinem tödlichen Wahn dem Datum eine seltsame, dunkle Bedeutung beigemessen und Damien deshalb zu töten versucht hatte.

Am Abend vor der Feier spielten Mark und Damien im Wohnzimmer Backgammon. Wie üblich, war Damien im Vorteil.

Aus irgendeinem Grund störte es Mark nie, gegen Damien zu verlieren. Er haßte es zwar, gegen andere Altersgenossen zu unterliegen, und er haßte es, wenn irgend jemand Damien schlug, aber wenn es um ihn und Damien allein ging, spielte das Verlieren für ihn keine besondere Rolle. Vielleicht hing das mit der Tatsache zusammen, daß Mark sich stets der tragischen Vergangenheit Damiens bewußt war, wenn auch nur unterschwellig. Mark war schon immer sehr empfindsam gewesen, selbst als kleines Kind, und nun kümmerte er sich auf seine Art um Damien und schien bestrebt zu sein, seinen Vetter zu immer besseren Leistungen anzuspornen, selbst auf seine eigenen Kosten.

Die beiden Jungen saßen vor dem offenen Kamin, in dem das Feuer loderte, und würfelten. Nur das Knistern der Flammen und das Klicken der Spielfiguren war zu hören, wenn sie auf dem Brett vorrückten. Hoch oben an der Wand über den Jungen hing der Schädel eines Sechzehnenders. Richard hatte den Hirsch geschossen, als das Haus hier im Bau war. Seine Frau Mary hatte damals noch gelebt. Wenn Richard die Trophäe sah, schnürte es ihm das Herz zusammen. Mary, die den Tod keines Lebewesens hatte ertragen können, war entsetzt gewesen, als er den toten Hirsch mit seinem Jeep dahergebracht hatte. Es war danach zu dem einzigen ernsthaften Streit in ihrer ganzen Ehe gekommen.

Seiner zweiten Frau Ann hatte Richard von der Auseinandersetzung um die Jagdtrophäe nie etwas erzählt, obwohl er wußte, daß sie sich auf seine Seite gestellt hätte, nicht zuletzt deshalb, weil sie selbst die Jagd sehr liebte.

Die Jungen waren in ihr Spiel so vertieft, daß sie Ann nicht bemerkten, als sie hereinkam. Sie blieb stehen und beobachtete die beiden eine Weile.

»Hallo, ihr zwei«, sagte sie schließlich. »Es ist schon spät, und morgen ist ein großer Tag.«

Mark, der überraschenderweise an diesem Abend zum erstenmal vor einem Sieg stand, hob den Kopf und sagte: »Wir sind mit der Partie fast fertig, Mama. Nur noch ein paar Minuten, ja?« Er sah Damien hilfesuchend an.

»Na komm, Mark«, sagte Damien grinsend. »Wenn Mama sagt, ins Bett, dann marsch ins Bett!«

Ann lachte in sich hinein. Sie wußte sehr wohl, was vorging.

Mark lächelte plötzlich.

»Ich habe eine Idee«, meinte er und zwinkerte. »Warum lassen wir das Brett nicht über Nacht so stehen?«

Es gab ein allgemeines Gelächter, als sie aufstanden.

Nachdem sie sich für die Nacht verabschiedet hatten, knipste Ann das Licht aus und ging zu den anderen Erwachsenen. Die beiden Jungen stiegen die dunkle Holztreppe zu ihren Zimmern hinauf.

»Damien«, sagte Mark, »ich wollte dich die ganze Zeit schon etwas fragen.«

»Ist es *wichtig?*« antwortete Damien müde, exakt in der Manier eines überanstrengten, mürrischen Geschäftsmannes.

Mark lachte.

»Aber gar nicht«, sagte er.

»Na, dann nur zu.«

»Was ist mit dir und Neff?«

Was immer Damien auch erwartet haben mochte, das gehörte gewiß nicht dazu. Er sah Mark scharf an, dann erwiderte er zurückhaltend: »Was meinst du damit?«

»Tja«, meinte Mark und blieb oben an der Treppe stehen, »er scheint dich die ganze Zeit zu beobachten. Irgendwie unheimlich.«

»Und ob«, sagte Damien. Er ging durch den dunklen Flur zu seinem Zimmer, öffnete die Tür und drehte sich nach Mark um, der ihm nachgeschaut hatte. »Neff ist ein Sergeant«, sagte er, »und alle Sergeanten sind unheimlich. Weißt du denn gar nichts?« Er verbeugte sich spöttisch, lächelte, flüsterte: »Gute Nacht« und verschwand in seinem Zimmer.

Bis zum Spätnachmittag des folgenden Tages waren alle Gäste eingetroffen. Buher war ebenso gekommen wie Pasarian, Atherton und Dr. Warren. Sogar ein paar Kameraden aus der Militärschule hatten hierhergefunden.

Bei Familien wie der der Thorns – von denen es in Amerika nicht mehr allzu viele gab, wenn man von den Kennedys und Rockefellers absah –, war die Feier eines Geburtstages, zumal die eines so bedeutungsvollen wie des dreizehnten eines Jungen, nicht so sehr ein gesellschaftlicher Anlaß als vielmehr eine Art Stammesritus. Ein Junge überschreitet die Schwelle zum Erwachsenendasein, wird ein Mann, der durch die Ausübung seiner Familienmacht das Leben vieler beeinflußt – vielleicht sogar das Schicksal von Nationen. So waren Fröhlichkeit und gute Laune, mit der die Thorns das Fest feierten, auch nur eine gesellschaftliche Tarnmaske für eine tiefe Ernsthaftigkeit.

Mark und Damien, die Hände vor den Gesichtern, standen in der Mitte des hohen Eßzimmers mit seinen dicken Deckenbalken, umgeben von Familie und Freunden. Die Beleuchtung war gedämpft, die Luft erfüllt von leckeren Düften, die dem luxuriösen Bufett auf dem langen Refektoriumstisch an der Wand entströmten. Es war ein schmaler Tisch aus dem sechzehnten Jahrhundert, früher im Besitz von flämischen Mönchen gewesen. Richard hatte ihn bei einem Besuch in San Simeon bei den Hearsts gesehen und seine Bewunderung ausgedrückt; wenige Tage später war der Tisch mit einem liebenswürdigen Begleitschreiben eingetroffen. Jetzt trug er die noch immer schwere Last der Überreste: geräucherten Truthahn, Landschinken, Roastbeef, Salate, Maiskolben und noch vieles mehr, was zwei sehr kräftigen jungen Burschen schmeckte.

Nur das Dessert fehlte noch, und darauf wartete man jetzt.

»Dürfen wir?« fragte Mark.

»Noch nicht«, erwiderte Ann.

Aus dem Nebenraum hörte man Männerstimmen singen: »Happy birthday to you, happy birthday to you . . .«

»Jetzt?« fragte Mark.

»Happy birthday, Mark und Damien . . .«, schmetterten die Stimmen.

»Jetzt!« sagte Ann, und die beiden Jungen ließen gleichzeitig ihre Hände sinken.

»Happy birthday to you!«

Durch die Doppeltür zur Küche kam eine Torte, getragen von ihrem Vater, von Atherton und Pasarian, die groß genug zu sein schien, um sämtliche Kadetten der Militärschule satt zu machen. Sie war drei Etagen hoch, und das oberste Stück war dem See nachgebildet. Auf der Oberfläche des Sees aus gesponnenem Zucker tummelten sich, beleuchtet von dreizehn Kerzen, Schlittschuhläufer aus der Zeit der Jahrhundertwende, in langen Mänteln und Wollschals, die Frauen mit Hauben, die Männer mit Zylindern.

Mark klatschte freudig in die Hände, und Damien lächelte strahlend. Die anderen applaudierten der Torte und den Jungen. »Phantastisch!« rief Mark.

»Alles Gute und Schöne zum Geburtstag, ihr Lieben«, sagte Ann, legte die Arme um sie und küßte sie.

Mark, der sich nicht mehr zurückhalten konnte, machte sich los und eilte auf die Torte zu, gefolgt von Damien.

In diesem Augenblick kam Buher ins Zimmer. Er hatte sich wegen einer schweren Migräne verspätet. Ann bemerkte ihn als erste und lächelte ihn mitfühlend an.

»Fühlen Sie sich besser, Paul?« fragte sie.

»Viel besser, danke«, erwiderte Buher. Sein angespanntes Gesicht verriet jedoch, daß er nicht ganz die Wahrheit sagte.

»Migräne kann etwas Furchtbares sein«, meinte Ann. »Ich hatte mal eine Freundin, die maßlos darunter litt.«

»Die letzten Tage waren ein wenig anstrengend«, sagte Buher. Er sah hinüber zu Atherton, der neben den Jungen und ihrer Torte stand und wie ein stolzer Onkel strahlte, der er auch fast war. Mark betrachtete begeistert die winzigen Figuren auf dem See, während Damien den Finger in den Zuckerguß steckte und ihn ableckte. Richard stand dabei, ein stolzer, liebevoller Vater.

Mark hob den Kopf und rief: »Mama! Mr. Buher! Kommt her und seht euch das an!«

Ann lächelte und ging zu Mark hinüber, während Buher auf Damien zuschlenderte, der ein wenig zur Seite getreten war.

Damien sah ihn kommen, nickte höflich und lächelte, hoffte aber, Buher möge sich ein anderes Ziel suchen. Er hatte keine Lust, sich mit Erwachsenen zu unterhalten.

»Wie behandelt man dich in der Akademie, Damien?« fragte Buher.

»Ganz gut, Mr. Buher«, antwortete Damien achselzuckend und auf eher gleichgültige Art.

»Und Sergeant Neff?« sagte Buher. »Wie geht es ihm?«

Damien sah ihn erstaunt an.

»Sie kennen ihn?«

Buher lachte und legte ihm die Hand auf die Schulter.

»Ich habe mich nach ihm erkundigt«, sagte Buher. »Nur, um ein bißchen auf dich aufzupassen, Damien.«

Damien wußte nicht so recht, was er von dieser Bemerkung halten sollte, wurde ein wenig rot und wollte sich wieder der Torte zuwenden.

»Sag mal, Damien«, fuhr Buher unbeirrt fort, »weißt du, was ich im Unternehmen mache?«

Damien sah ihn an und schüttelte den Kopf.

»Eigentlich nicht, Sir.« Er hoffte, daß der andere seine Gleichgültigkeit bemerken würde. Unhöflich wollte er nicht werden.

»Das solltest du aber wissen«, sagte Buher mit Nachdruck. »Du solltest alles über den Konzern wissen. Eines Tages wird er dir gehören.«

»Mir und Mark«, verbesserte Damien.

»Versteht sich.« Der Junge ist nicht dumm, dachte Buher. Schon diplomatisch. Er beschloß, es auf andere Weise zu versuchen. »Warum kommst du nicht einmal in die Zentrale und siehst dich um?«

Damien überlegte und fand das einen guten Vorschlag.

»Könnte ich ein paar Freunde mitbringen?« fragte er. Er sah sofort die Möglichkeit, sich und einigen Kameraden einen freien Tag zu verschaffen.

»Aber gewiß«, erwiderte Buher liebenswürdig.

Richard Thorn klopfte mit einem Löffel an einen Kristallkelch; es wurde sofort still im Raum. Richard trug zwar nur Jeans und ein kariertes Wollhemd, war aber ungeachtet dessen die beherrschende Gestalt.

Man brachte Champagner für alle. Als die Gruppe sich am Tisch versammelte, hob Thorn sein Glas.

»In Augenblicken wie diesem reißt es mich hin, eine kleine Rede zu halten«, sagte er, »um auf unser Glück zu trinken und für alles zu danken, was wir haben. Denn wir haben sehr viel. Die Thorns sind eine begünstigte Familie, und es ist entscheidend, daß wir von unseren privilegierten Positionen weise und vernünftig Gebrauch machen. Wir dürfen nie vergessen, daß es nicht immer so war und immer so bleiben wird, wenn wir nicht hart arbeiten zum Wohl der anderen, um uns zu verdienen, was uns gegeben worden ist. Das ist alles, was ich zu sagen habe. Du wirst froh sein, Mark, daß ich keine Rede halte.«

»Das war aber eben eine«, sagte Mark, und es gab Gelächter.

Richard winkte ab.

»Aber eines möchte ich noch sagen.« Die Versammlung begann aufzustöhnen. »Hilfe!« sagte er. »Ich komme mir vor wie Nelson bei der Nominierung 64.«

Das Gelächter brandete von neuem auf. Atherton wischte sich die Lachtränen aus dem Gesicht, und Charles Warren grinste. Ann schaute sich voller Stolz und Zufriedenheit um.

»Ich *werde* das los, und wenn ihr euch noch so dagegen wehrt«, sagte Richard. Er holte Atem und rief: »Alles an die Fenster!«

Man begab sich an die Fenster, tauschte unterwegs jedoch fragende Blicke untereinander aus. Mark war als erster an seinem Platz.

»Licht aus, bitte«, sagte Mark, als alle sich vor dem großen Panoramafenster versammelt hatten.

Es wurde dunkel.

Draußen am Nachthimmel entbrannte ein Feuerwerk, wie es in dieser Pracht kaum einer der Anwesenden je gesehen hatte. Grün und Blau und Gelb und Rot, greller als in einem Regenbogen, übergossen den Himmel mit Farbschauern und machten die Nacht zum Tag. Es gab Raketen und Sonnen und Wunderkerzen, knisternd, krachend und knallend, bis sie fünfzig Meter über dem See ihre größte Höhe erreichten, dann barsten und sich zu großen, bunten Lettern vereinten:

HAPPY BIRTHDAY, MARK UND DAMIEN!

Zunächst blieb es still. Alle schienen den Atem anzuhalten, dann begann das Klatschen und Jubeln, und man umarmte und küßte sich.

»Ich kann es einfach nicht glauben, Papa!« rief Mark und fiel seinem Vater um den Hals.

Damien lächelte nur. Er freute sich nicht weniger als Mark, aber er konnte seine Gefühle nicht so gut ausdrücken wie sein Cousin.

Die einzige Person, die sich vom Brillantfeuerwerk nicht in den Bann ziehen ließ, war Buher, der erneut die Gelegenheit benützte, mit Damien zu sprechen. Er stand direkt hinter dem Jungen, ein wenig seitwärts, so daß er ihm ins Ohr flüstern konnte.

»Der dreizehnte Geburtstag eines Jungen gilt bei vielen als der Beginn der Pubertät, der Mannheit«, sagte er. »Bei den Juden gibt es die Bar Mizwah. Im Hebräischen heißt das ›Sohn des Gebotes‹ oder ›Mann der Pflicht‹.«

Damien hatte keine Ahnung, was Buher meinte, zog es aber vor, höflich zu sein.

»Wirklich?« antwortete er, ohne den Blick vom Feuerwerk abzuwenden.

»Auch du wirst eingeführt werden«, sagte Buher.

Damien sah ihn an. Ihre Blicke bohrten sich tief ineinander.

Buher sprach noch leiser, beinahe hypnotisierend weiter: »Verzeih, wenn ich die Bibel zitiere, aber im 1. Korintherbrief steht: ›Da ich ein Kind war, redete ich wie ein Kind, und war klug wie ein Kind; da ich aber ein Mann ward, tat ich ab, was kindisch war.‹ Es wird die Zeit kommen, da du abtun wirst, was kindisch war, da du dich dem stellen wirst . . . was du bist.«

»Was ich bin?«

Buher nickte.

»Ein großer Augenblick, Damien. Du mußt ihn schon spüren.«

Damien war beunruhigt, aber fasziniert. Zuerst hatte er geglaubt, Buher wolle ihn nur auf seine Seite ziehen, um sich bei seinem Vater einzuschmeicheln. Aber nun hatte ausgerechnet Buher ausgesprochen, was Damien seit einigen Monaten bewegte und verstörte; es war beinahe so, als könne Buher in seine Seele schauen.

»Das glaube ich fast«, sagte Damien langsam. »Ich fühle . . . ich bin mir nicht sicher, aber ich fühle, daß mit mir etwas geschieht . . . geschehen *wird*.« Er sah Buher in die Augen.

Buher lächelte.

»Eine Ahnung von deiner Bestimmung, wie? Das erleben wir alle. Dein Vater, Bill Atherton . . . auch ich.« Er machte eine Pause. »Ich bin auch Waise, hast du das gewußt?«

Damien schüttelte den Kopf.

»Ich kann also mitfühlen, was in dir vorgeht. Diese Empfindungen hast du wohl erstmals im vergangenen Juni gespürt, nicht wahr?« fuhr Buher fort. »Als dein eigentlicher Geburtstag war . . .«

Damien war verblüfft, aber bevor er etwas sagen konnte, rief Atherton: »He, ihr beiden! Kommt her und beteiligt euch!«

Sie schauten hinüber und sahen, daß die Zeremonie des Tortenanschneidens begonnen hatte.

»Komm schon, Damien!« rief auch Mark ungeduldig. Er war begierig darauf, die Kerzen auszublasen.

»Und nicht vergessen, daß ihr euch etwas wünscht«, sagte Ann zu den beiden.

Damien lief zu Mark hinüber, auf irgendeine Weise erleichtert, von Buher fortzukommen. Dieser belastete ihn zu früh zu stark. Die beiden Jungen holten tief Atem und bliesen alle dreizehn Kerzen rund um die Torte aus. Es gab Jubel und Beifall.

»Okay, Leute«, sagte Ann, »ran an den Kuchen! Wir haben Hunger!«

»Vorher habe ich hier noch etwas für Mark«, erklärte Damien und griff in die Tasche.

»O je«, sagte Mark, »ich habe ganz vergessen, für dich etwas zu besorgen.« Aber er konnte sein Gesicht nicht unter Kontrolle halten und griff ebenfalls in die Tasche.

Die Geschenke der beiden sahen bis hin zum Einwickelpapier ganz gleich aus.

Mark begann zu lachen.

»Wenn du mir . . .«, begann er.

». . . dasselbe wie ich dir . . .«, fuhr Damien fort.

Sie sahen Ann beide an und sagten: »*Mama!*«

Offenkundig hatte »Mama« beide Geschenke gekauft. Sie lächelte und schaute glücklich zu, als die beiden Jungen ihre Päckchen aufrissen und zwei gleiche Schweizer Offiziersmesser herausholten, blitzblank, mit allen nur denkbaren Zusatzgeräten daran. Wieder gab es Beifall.

»Ich wollte wirklich eines«, sagte Mark.

»Ich auch«, sagte Damien, als Mark ihm einen freundschaftlichen Rippenstoß gab.

Die Jungen beschlossen, ihre Messer zum Anschneiden der Torte zu verwenden, aber vorher entfernte Damien mit seinem Messer einen der männlichen Schlittschuhläufer von der winterlichen Zuckergußszene auf der Torte. Dann stießen Mark und er ihre Messer unter allgemeinem Jubel tief in die Torte.

Am nächsten Morgen blinkte grelles Sonnenlicht auf das Eis des Lake Geneva und überflutete die ganze Landschaft mit strahlendem Leuchten. Die Natur, sich selbst überlassen, hatte für den Tag eine Vorführung arrangiert, die wunderbarer war als Richard Thorns Feuerwerk am Abend zuvor.

Vom See führte ein Fluß in Windungen in den Wald, anfänglich breit, dann sich verschmälernd, je tiefer er in den Wald geriet. Auch der Fluß war zugefroren, und man nutzte dies, um Eishockey zu spielen. Die Ufer an beiden Seiten bildeten natürliche Begrenzungen, so daß das Spiel auf einer Art Feld stattfinden konnte.

Am Nachmittag war eine Partie im Gange. Die beiden Mannschaften bestanden in der Hauptsache aus leitenden Angestellten des Konzerns; auf der einen Seite wirkte Mark, auf der anderen Damien mit, und ihre Kameraden von der Schule feuerten sie lautstark an.

An der Oberfläche war die wintersportliche Betätigung nichts als ein simples, frisches Vergnügen; nur ein Mann mit so feinen Antennen wie Buher begriff, worum es in Wirklichkeit ging.

Buher hätte etwa darauf hinweisen können, daß Konzernentscheidungen nicht in Konferenzräumen gefällt wurden; dort fanden sie nur ihre Bestätigung. Sie fielen bei Cocktailempfängen und in Squashsälen, heutzutage meistens sogar auf dem Tennisplatz. Eine gute Rückhand war drei Jahre Harvard wert. Wenn man charmant, leutselig und anpassungsfähig genug war, betrachteten einen die Tennispartner als Freund, und sie machten lieber mit einem solchen Mann Geschäfte als mit einem Außenstehenden. So werden auch Karrieren gemacht.

Beim Thorn-Konzern war eine der rauhesten Sportarten die beliebteste. Vielleicht auch, um sich von anderen zu unterscheiden, hatte man sich dem Eishockey verschrieben. Ins Gewicht fiel wohl auch, daß der Lake Geneva so nah an der kanadischen Grenze lag. Ein harter Bodycheck auf dem Eis kam dem brutalen Zusammenprall beim Football durchaus nahe.

Aus diesen und noch anderen Gründen wurde Eishockey zu dem Spiel, das man betreiben konnte, wollte man im Thorn-Konzern die Erfolgsleiter erklimmen. Richard Thorn, der sich für einen durchaus fair eingestellten Menschen hielt und es in Wahrheit auch war, wäre allerdings entsetzt gewesen, wenn er geahnt hätte, daß es in den mittleren Managementrängen des Unternehmens als unabdingbar galt, auf dem Eis eine gute Figur zu machen. Er hätte seinen Augen nicht getraut, wenn er gesehen hätte, daß statusbewußte junge Nachwuchsmanager gelegentlich sonntags nach Fond du Lac hinüberfuhren, um Unterricht bei einem alternden Ex-Profi der kanadischen Liga zu nehmen. Was Richard Thorn betraf, so ging es ihm allein darum, sich zu amüsieren.

Und an diesem Tag machte ihm das Spiel besonderen Spaß. Die Manager waren vollzählig vertreten, selbst jene, die eigentlich schon zu alt für diesen Sport waren.

Auch die Frauen hatten sich eingefunden, angetan mit bunten Wollmützen, Stiefeln, Schals, dicken Fäustlingen, und allesamt bemüht, dem Idealbild zu entsprechen, das Männer jeden Alters sich von der Frau an sich machen.

Damien und Mark waren jeweils Spielführer ihrer Mannschaft. Sie knobelten um die erste Auswahl der Spieler. Damien gewann und ließ sich die Gelegenheit, seinen Pflegevater in seine Mannschaft zu berufen, nicht entgehen. Richard hob beide Arme und schüttelte sie grinsend, dann fuhr er zu Damien hinüber.

Mark suchte sich Atherton aus. Der Vorstandschef war nicht einer der besten Spieler, wog das aber durch seine Begeisterung auf. Er lächelte erfreut und fuhr auf Mark zu.

Als nächsten suchte Damien sich Buher aus. Er wußte selbst nicht genau, was ihn dazu bewog. Vielleicht war es eine Art Erkenntlichkeit für die Worte, die Buher am Abend zuvor für ihn gefunden hatte; oder auch das Gefühl, daß man Buher besser auf seiner Seite hatte. Jedenfalls schien Buher sich sehr darüber zu freuen, daß er von Damien ausgesucht wurde. Er glitt mit schnellen Schritten auf Damien und Richard zu und hieb die Kufen ins Eis, daß es aufspritzte.

Mark berief als nächsten Pasarian in seine Mannschaft. Er mochte Pasarian, der sich zwar nur unsicher auf den Schlittschuhen bewegte, aber an Enthusiasmus von keinem zu übertreffen war. Sein Beitrag erschöpfte sich meist in lauten Anfeuerungsrufen, trotzdem gehörte er meist zum siegreichen Team.

Man bestimmte die restlichen Mannschaftsangehörigen, die Seiten wurden gewählt, und das Spiel begann.

Buher war ein erfahrener Spieler, rücksichtslos und selbstsicher. Es war unverkennbar, daß er viel geübt hatte. Richard hielt sich zurück und verzichtete auf Sondereinlagen, um nicht zum Mittelpunkt der Aufmerksamkeit zu werden. Er beobachtete Buher eine Weile und stellte fest, daß der Mann kein Gefühl für mannschaftsdienliches Spiel zu haben schien. Im übrigen behielt Richard Damien im Auge.

Damiens Geschicklichkeit war überaus beachtlich, gerade für einen Jungen in seinem Alter. Seine Laufgewandtheit ließ ihn wie einen Ballettänzer wirken. Er führte den Puck geschickt und sicher, seine Stockarbeit konnte sich sehen lassen, und ganz offensichtlich bestimmte er Tempo und Verlauf des Spieles. Als er durch eine Lücke stieß und im Alleingang das erste Tor erzielte, lächelte Richard, erfüllt von einem Stolz, der kaum größer hätte sein können, wenn Damien sein eigener Sohn gewesen wäre. Die Anfeuerungsrufe und der Beifall der Ehefrauen und älteren Manager am Ufer hatten nichts damit zu tun, *wer* Damien war; man sah etwas, das an Perfektion grenzte, und man reagierte darauf.

Charles Warren hatte es vorgezogen, nicht mitzuspielen. Statt dessen stolperte er am Ufer auf eigene Faust herum, bis er zu erschöpft war, um weitermachen zu können. Er klopfte sich nach dem letzten Sturz den Schnee von den Hosen und fuhr ungeschickt dorthin, wo Ann Thorn an einem großen Grillgerät stand.

Die lautlosen, nahezu unsichtbaren dienstbaren Geister des Hauses brauchten am See nicht mitzuwirken. Ann briet riesige Mengen Würstchen, Buletten und Steaks über der Holzkohlenglut mit dem Geschick und der Geschwindigkeit einer berufsmäßigen Grillköchin.

Als sie Warren kommen sah, rief sie: »Was ist denn gefällig?«

»Würstchen«, sagte Warren keuchend.

Ann spießte ein Würstchen auf und schob es in eine Semmel.

»Das ist alles?«

»Für den Anfang«, erwiderte Warren. »Ich bin ausgehungert. Kann sein, daß ich alles aufesse, was da liegt.«

Er biß kräftig zu, dann belud er den Rest mit Sauce, Ketchup und Zwiebeln.

»Ich habe in den Zeitungen von Ihrer Reporterin gelesen«, erklärte Ann. »Hat ja wenig Zweck, zu sagen, tut mir leid, aber ich meine es ernst.«

Warren nickte dankbar.

»Ich konnte es einfach nicht glauben, als ich davon erfuhr«, sagte er. »Unbegreiflich, wie das geschehen konnte.«

Aber Ann hatte sich bereits wieder abgewandt, um das Spiel zu verfolgen.

Warren schluckte den Rest seiner Portion hinunter und griff nach der nächsten.

Sie bemerkten beide den großen schwarzen Raben nicht, der sich in einer nahen Tanne niederließ und sie mit kaltem, bohrendem Blick beobachtete.

Draußen auf dem Eis paßte Richard zu Damien, der den Puck mit der Kelle stoppte, bevor er ihn sich vorlegte und auf das Tor zufuhr. Atherton, der in der Verteidigung spielte, setzte sich schwerfällig in Bewegung, um ihn abzufangen.

Damien stürmte weiter, führte geschickt den Puck, genoß die Geschwindigkeit und Gewandtheit, mit der er sich bewegte. Er zweifelte keinen Augenblick daran, daß er den Älteren würde überspielen können. Er fuhr schnurstracks auf Atherton zu, so schnell er konnte, als ob er durch ihn hindurchstoßen wolle. Atherton kam ins Schwanken und hatte Mühe, das Gleichgewicht zu halten. Am liebsten hätte er die Augen zugemacht.

Im letztmöglichen Sekundenbruchteil fegte Damien um Atherton herum. Dabei gab das Eis unter ihm ein wenig nach; ein haarfeiner Riß zeigte sich.

Atherton schaute sich verblüfft um und sah den Jungen davonhuschen. Schwerfällig drehte er sich und wollte Damien nachfahren. Er stolperte aber, und der Riß im Eis erweiterte sich.

Das ganze Eis begann zu knirschen.

Buher merkte es als erster. Er setzte sich sofort in Bewegung.

Plötzlich krachte es zweimal laut hintereinander, und das Eis um Atherton splitterte. Die anderen Schlittschuhläufer erstarrten. Die Zuschauer am Ufer schrien auf.

Buher erreichte Damien, packte den Jungen und riß ihn im letzten Augenblick von der Gefahrenstelle weg.

Atherton erschrak zutiefst. Er konnte sehen, was sich abspielte, aber er war einfach nicht schnell genug, um sich zu retten.

»Bill! Ich komme!« rief Thorn und fuhr mit schnellen Schritten auf seinen Freund zu.

Immer neue Knallgeräusche durchschnitten die Luft, so hart und trocken, als zerbreche man starke Knochen. Das Eis um Atherton brach in dicke Schollen auseinander, und er stand auf einer winzigen, schwankenden Eisplatte, einer Mini-Insel in der Mitte des kalten, dunklen Flusses.

Die anderen Läufer kamen am Rand des sich erweiternden Loches zum Stehen und schrien Atherton zu, sich an ihren ausgestreckten Händen und Schlägern festzuhalten.

Es war nutzlos. Athertons Gewicht brachte seine kleine Eisinsel zum Schwanken, und er glitt auf die dunkle, brodelnde Strömung unter dem Eis zu.

Ann preßte die Hand auf den Mund, um einen Schrei zu unterdrücken. Sie konnte sehen, was sich abzeichnete, und es gab keine Möglichkeit, es aufzuhalten.

Damien wehrte sich gegen Buhers Griff. Er wollte um jeden Preis Hilfe leisten, aber Buher war viel zu stark für ihn und hielt ihn fest umklammert.

»Springen!« brüllte Pasarian.

Es war zu spät. Die Eisscholle unter Atherton kippte, rutschte unter ihm weg und schleuderte ihn mit dem Kopf voraus in das eiskalte, strömende Wasser.

Atherton ging unter. Ein paar Sekunden lang blieb er unsichtbar, dann tauchte er plötzlich wieder auf, verzweifelt nach Luft ringend, und griff mit dem dicken Handschuh nach der Eiskante.

Die anderen Männer legten sich, angeleitet von Thorn, bäuchlings auf das Eis und bildeten eine Kette, wobei jeder

Bei einem Eishockeyspiel aus Anlaß von Damiens dreizehntem Geburtstag kommt Bill Atherton, ein leitender Angestellter des Thorn-Konzerns (Lew Ayres), auf tragische Weise ums Leben.

sich mit den Händen an den Fußknöcheln des Vordermannes festhielt. Thorn streckte die Hand aus und versuchte Athertons Finger zu packen.

Athertons Kopf ragte nur knapp aus dem Wasser. Seine Augen waren weit aufgerissen. Er versuchte sich am Eis festzukrallen und sich daran hochzuziehen, aber die scharfen Ränder zerschnitten Handschuhe, Hände und Handgelenke. Er sah sein Blut auf das blanke Eis tröpfeln.

Bevor die Strömung ihn erfaßte, stieß er einen gellenden Schrei aus, dann verschwand er unter der Oberfläche.

Die anderen brüllten durcheinander. Sie sprangen auf, schauten sich entsetzt an und wußten nicht, was sie tun sollten.

Plötzlich tauchte unter Thorns Füßen ein Gesicht auf, an das durchsichtige Eis gepreßt. Athertons Augen schienen aus den Höhlen zu treten. Er schlug mit den Fäusten schwach gegen die Eisplatte. Dumpfe Laute drangen herauf, bevor Atherton wieder davongerissen wurde; mit Händen und Füßen trommelte er auf die dicke Eisschicht ein, wie ein Mensch, der eine massive Glaswand zu durchstoßen versucht.

Die Läufer fuhren verzweifelt der Spur des Ertrinkenden nach. Sie hieben mit den Hockeyschlägern auf das Eis, um es zu sprengen.

Damien konnte sich von Buher endlich losreißen und raste auf die anderen zu. Thorn schlug verzweifelt mit den scharfen Schlittschuhkanten auf das Eis ein.

Atherton begann unter dem Eis zu ersticken. Durch das dicke Eisprisma über sich konnte er die schattenhaften Gestalten sehen, die ihm helfen wollten; er hörte ihre dumpfen Schreie; aber er konnte nicht zu ihnen gelangen.

Plötzlich glaubte er ein Licht zu erkennen, einen helleren Kreis im sonst dunklen Wasser. Es war ein Baum, der aus dem

Ufer herauswuchs, durch das Eis hinauf in die *Luft!* Atherton schickte ein Stoßgebet zum Himmel.

Wie durch ein Wunder wurde er in die Öffnung gerissen.

Damien entdeckte ihn als erster.

»Da ist er!« schrie er.

Die Läufer stürmten auf den Baum zu und stoppten kurz davor, um nicht alle in das Loch zu stürzen. Athertons Kopf schob sich durch die Öffnung herauf, das Gesicht völlig entstellt, den Mund aufgerissen, nach Luft ringend wie ein harpunierter Fisch.

»Wir kommen!« schrie Thorn, während er und Damien sich auf dem Bauch über das gefährlich dünne Eis schoben. Sie streckten die Hände nach dem Todgeweihten aus.

Athertons Gesicht blieb nur noch einen Augenblick lang sichtbar, dann schien eine Riesenfaust ihn an den Füßen hinunterzuzerren, er verschwand, und das Wasser schlug über ihm zusammen.

»Schnell, alle hinterher! Wir haben ihn verloren!« schrie Thorn.

Es war sinnlos. Atherton blieb verschwunden. Als die Läufer eine weit auseinandergezogene Reihe bildeten und die ganze Breite des Flusses noch einmal abzusuchen begannen, stieß der schwarze, riesenhafte Rabe einen Schrei aus und flatterte zum bedeckten Himmel hinauf.

5

Atherton war seit fast einem Monat tot. Paul Buher war immer noch dabei, sein neues Büro einzurichten. Er hatte die Wände mit dunklem Holz täfeln lassen, hatte Möbel aus schwarzem Leder und glänzendem Chrom im Bauhaus-Stil beschafft, um Athertons alte Klubsessel zu ersetzen. Es gefiel ihm, daß sein Büro Ähnlichkeit mit der Einrichtung von Thorns Speisezimmer in der Stadtwohnung besaß; dort hatte schließlich alles angefangen.

Noch mehr gefiel ihm, daß an diesem Januarmorgen, als er aus dem Dienstwagen stieg, Byron, sein tüchtiger und fleißiger Assistent, am Haupteingang des Verwaltungsgebäudes auf ihn wartete und ihm eine Zeitschrift in die Hand drückte.

Es war die neueste Ausgabe von »Fortune«, und das Titelbild zeigte Paul Buher; dazu der Text: »Der neue Chef des Thorn-Konzerns.«

Buher nickte seinem Mitarbeiter zu, bedankte sich und ging weiter.

Byron eilte ihm nach und sah ihn enttäuscht an.

»Sie haben es also schon gewußt«, sagte er.

Buher sah ihn mitleidig an.

»Sie glauben doch nicht, daß so etwas zufällig geschieht?« Manchmal war ihm Byrons Naivität unbegreiflich. So naiv war er vor zehn Jahren nicht gewesen.

Sie warteten gemeinsam auf den Lift.

»Nachricht von Pasarian?« fragte Buher.

»Nein, Sir. Er scheint spurlos verschwunden zu sein.«

Die Lifttüren öffneten sich, und die beiden Männer traten in die Kabine. Buher drückte auf den einzigen Knopf, den es dort gab. Der Lift würde ihn zum eigenen Eingang bringen, über den sein Büro verfügte.

Byron wartete einige Sekunden, dann sagte er: »Richard möchte Sie sofort sprechen.«

Buher zog kurz die Brauen zusammen. Er kannte sich aus. Dieses Manöver hatte er selbst bei seinem eigenen Aufstieg oft genug erprobt. Was Byron vermitteln wollte, war: Richard ist vorzeitig aus dem Urlaub zurück. Er will Sie sprechen. Auf der Stelle. Das bedeutet vermutlich, daß es Ärger gibt. Ich habe ihn Richard genannt. Bisher war er für mich immer Mr. Thorn. Das bedeutet vielleicht, daß er und ich eine neue Stufe der Vertraulichkeit erklommen haben, hinter deinem Rücken, während du dein Büro eingerichtet und dafür gesorgt hast, daß du auf das Titelblatt von »Fortune« kommst. Möglicherweise weiß ich sogar, *warum* Richard, wie ich ihn jetzt nenne, dich so dringend sprechen möchte.

Aber Byron hatte einen Meister seines Fachs vor sich.

»So?« sagte Buher ruhig. »Ist er schon da?«

Byron preßte die Lippen zusammen. »Ja«, erwiderte er knapp und zerbrach sich den Kopf darüber, was er noch hinzufügen konnte. »Und er ist herrlich braun geworden.«

Als Buher hereinkam, saß Thorn an einem großen Konferenztisch und trank Kaffee. Bevor Buher ihn auch nur begrüßen konnte, fuhr ihn Thorn an: »Und was hat Pasarian in Indien zu suchen?«

Buher stellte seine Aktentasche auf den Tisch und setzte sich. Das verschaffte ihm Zeit, sich die Antwort zu überlegen. Und die Zeichen zu lesen. Thorns Hemdkragen war offen. Er trug keine Krawatte. Er war unrasiert. Das alles deutete darauf hin, daß er überstürzt zurückgekehrt war.

Thorn spielte nicht den Zornigen, er *war* zornig.

»Ich brauchte eine zweite Meinung zu unseren Landkäufen dort«, sagte Buher. »Wer wäre besser geeignet –«

»Wir kaufen bereits?« fragte Thorn erstaunt.

»Sie waren damit einverstanden, daß ich nach den Ergebnissen meines Berichts vorgehen kann«, erwiderte Buher. »Das war mit dafür entscheidend, daß ich den Vorsitzerposten angenommen habe.«

Thorn rieb sich mit beiden Händen das Gesicht und seufzte.

»Das heißt aber nicht, daß Sie über meinen Kopf hinweg handeln können«, sagte er. »Solche weitreichenden Maßnahmen müssen mit mir abgesprochen werden. Wenn ich das vorher nicht ausreichend klargemacht habe, hole ich das jetzt nach.«

»Sie waren in Urlaub«, wandte Buher ein. »Ich hielt es für richtig, Sie nicht zu belästigen.«

»Telefonisch war ich immer erreichbar«, erklärte Thorn. Er klopfte auf den Schreibtisch. »Bill hätte eine solche Entscheidung nie getroffen, ohne mich zu unterrichten.«

»Ich bin nicht Bill«, sagte Buher.

»Das erwarte ich auch nicht!« entgegnete Thorn scharf. »Aber ich verlange, daß Sie sich an die Regeln halten!«

Es blieb geraume Zeit still.

»Paul«, sagte Thorn schließlich. »Sie *sind* ein Spitzenmann. Sie verdienen es, ganz oben zu stehen. Aber machen Sie sich nicht selbst alles kaputt. Vergessen Sie nie, wem das Unternehmen gehört.«

»Es wird nicht wieder vorkommen«, versicherte Buher reumütig. Er machte eine Pause und fuhr fort: »Sie haben Pasarian gesucht«, sagte er. »Warum?«

»Mit seinem Entwurf des P-84-Geräts ist etwas nicht in Ordnung«, sagte Thorn. »Walker gerät immer mehr aus dem Häuschen.«

Damit war das andere Thema abgeschlossen. Es würde

nicht wieder zur Sprache kommen, wenn Buher nicht seinen Fehler wiederholte. Tat er es dennoch, würde die Axt niedersausen, und eine Erklärung würde sich erübrigen.

»Ich weiß, daß Walker immer Unheil predigt«, fuhr Thorn fort, »aber diesmal hat er mich angesteckt.«

»Ich kümmere mich darum, Richard«, sagte Buher und stand auf.

»Tun Sie das.« Thorn wartete, bis Buher den Raum verlassen hatte, stand dann auf und ging zu dem großen Fenster mit Blick auf den eleganten, alten Wasserturm im Zentrum Chicagos. Meist tröstete ihn der Ausblick, aber an diesem Morgen blieb die beruhigende Wirkung aus.

Seit Athertons tragischem Tod nagte etwas an ihm, doch er konnte sich nicht darüber klarwerden, was es war. Sobald er glaubte, zupacken zu können, verkroch sich der Gedanke wieder.

6

Der Lehrgang trug den Titel: »Militärgeschichte, Theorie und Praxis.« Das klang interessanter, als es war, denn im wesentlichen wurden nur die berühmtesten Schlachten der Vergangenheit durchgenommen. Man wollte den Kadetten einen gesunden Respekt vor der Gloriole des Krieges einimpfen. Manchmal gelang das, meistens aber nicht. Die Teilnahme am Lehrgang war Pflicht.

An diesem Tag behandelte man im Unterricht Attila, den Hunnenkönig. Der Ausbilder, ein hochgewachsener, hagerer Mann mit glatten, schwarzen Haaren und Mittelscheitel, war gleichzeitig der Schulkaplan. Er trug einen engen Klerikerkragen und eine Tweedjacke. Er hieß Budman.

Der Geistliche interessierte sich persönlich sehr für Attila und dessen Zeit. Er hing der Meinung an, daß der Hunnenführer eine mißverstandene Gestalt war.

»Der arme Mann«, sagte Budman gerade, »ist von der Geschichtsschreibung sehr schlecht behandelt worden. Man muß sehen, daß er bei seinem eigenen Volk als ein gerechter Herrscher gegolten hat . . .«

Damien war der einzige, der zuhörte, was verwunderlich war, weil er sich sonst für Geschichte nicht sehr begeistern konnte. In den letzten Monaten hatte er jedoch festgestellt, daß ihn Einzelheiten über Leben und Tod historischer Gestalten immer mehr faszinierten.

»Er legte es weit weniger auf Zerstörung an«, fuhr der Kaplan fort, »als viele Eroberer vor und nach ihm . . .«

Mark amüsierte sich zusammen mit Teddy, der seit einiger Zeit im Unterricht stets bei den Thorns saß. Mark kritzelte etwas auf einen Zettel, und Teddy konnte ein Kichern nur mühsam unterdrücken.

»Attila war vielmehr so sehr auf Bildung versessen«, erklärte Budman, »daß er zahlreiche Gelehrte an seinen Hof zog . . .«

Mark hielt Damien den Zettel unter die Nase, und sein Vetter, der völlig unvorbereitet war, begann laut zu lachen.

Der Geistliche verstummte mitten im Satz.

»Wer war das?«

Damien stand sofort auf.

»Ich«, bekannte er.

»Komm her und bring den Zettel gleich mit«, sagte Budman.

Damien gehorchte.

Mark rutschte auf seinem Stuhl hin und her und zeigte eine schuldbewußte Miene.

Teddy gab ihm einen Rippenstoß.

»Feigling!« flüsterte er.

Die anderen Schüler verfolgten die Konfrontation halb belustigt, halb beunruhigt.

Kaplan Budman nahm Damien das Blatt Papier ab. Es war eine Zeichnung von ihm selbst, gut gelungen, wie er mit seinem Klerikerkragen auf einem Pferd saß und ein abgehauenes Mongolenhaupt hochhielt.

Der Geistliche war entsetzt. Nicht nur machte man ihn zum Gespött, man erniedrigte auch den ruhmreichen Hunnenkönig, und das tat einer seiner intelligentesten Schüler.

Budman zerknüllte die Zeichnung und warf sie in den Papierkorb neben seinem Pult.

»So«, sagte er nach einer bedrückenden Pause, »wir haben also einen Künstler unter uns. Woran liegt es, Thorn? Langweile ich dich?« Er gab Damien keine Gelegenheit, zu antworten, sondern fuhr sarkastisch fort: »Du weißt natürlich schon alles über Attilas Feldzüge.«

Damien atmete tief ein.

»Einiges, Sir«, antwortete er zu seiner eigenen Überraschung.

»Einiges«, wiederholte der Kaplan höhnisch. »Wenn Attila von der Kriegführung nur ›einiges‹ verstanden hätte, statt alles, wäre uns heute nicht einmal sein Name bekannt.« Er verengte die Augen. »Weißt du mehr als seinen Namen, Thorn? Weißt du, beispielsweise, etwas über ihn und die Römer?«

Damien holte wieder tief Luft.

»Ich denke schon, Sir.« Was machte er da eigentlich? Er wußte gar nichts!

Die Schüler murmelten miteinander und fragten sich, was Damien im Schild führen mochte. Es war sonst nicht seine Art, sich mit Lehrern anzulegen.

»Du ›denkst‹«, sagte Budman. »Na gut, das wollen wir erst einmal sehen. Sag mir doch, wie groß war Attilas Heer, als er in Gallien eindrang?«

»Ungefähr eine halbe Million, Sir«, legte Damien los, und bevor er noch Gelegenheit fand, sich zu fragen, woher er das wußte, hörte er sich fortfahren: »Er wurde jedoch 451 von Aetius in der Schlacht von Châlons geschlagen. Er kehrte um und drang in Norditalien ein, zog aber nicht nach Rom.«

Budman war entgeistert. Damit hatte er nicht gerechnet. Aber nun konnte er vor der ganzen Klasse nicht einfach zurück. Er hatte angefangen und mußte weitermachen.

Im übrigen hörte sich das Ganze an wie ein Abschnitt aus dem Lexikon. Vielleicht gehörte Thorn zu den Schülern, die alles auswendig lernten, die einem sagen konnten, daß Kolumbus Amerika 1492 entdeckt habe, ohne zu ahnen, warum er überhaupt zu den Westindischen Inseln gelangt war, oder was er dort gesucht hatte.

Budman entschied sich für eine Frage leichterer Art.

»Warum nicht?«

Damien zögerte keinen Augenblick.

»Das Verdienst daran wird allgemein Papst Leo I. zugeschrieben«, sagte er, »dessen diplomatische Geschicklichkeit den Ausschlag gegeben habe. Aber der wahre Grund war der Mangel an Nachschub –« Hier zögerte Damien, und Budman glaubte einen Augenblick lang, die Wissensquelle sei versiegt. Doch Damien war mit seinem inneren Auge auf das häßliche Bild der venerischen Krankheiten gestoßen und suchte lediglich nach einer taktvollen Ausdrucksweise. Schließlich setzte er hinzu: »Und das Heer litt unter . . . äh, unter einer Seuche.«

Einige Schüler begriffen, was gemeint war, und kicherten. Damien wurde rot.

Der Geistliche wurde wütend.

»Ruhe!« schrie er. Dann wandte er sich wieder Damien zu, entschlossen, dem Ganzen ein schnelles Ende zu bereiten.

»Wann ist Attila geboren?« fragte er.

»Das ist unbekannt, Sir.«

»Wann herrschte er?«

»Von 434 bis 453 nach Christus. Er starb an einer Nasenblutung, bei der Feier seiner letzten ... äh ... Hochzeit.«

Diesmal geriet die ganze Klasse in Aufruhr.

»Ruhe!« brüllte Budman erregt. Er trat näher an Damien heran und fragte herausfordernd: »Wie hieß sein Bruder?«

»Bleda«, antwortete Damien, aber er begnügte sich wieder nicht mit einer einfachen Entgegnung. Er war plötzlich vom grellen Licht eines Wissens erfüllt, von dessen Besitz er nichts geahnt hatte. Seine Augen leuchteten. Die Macht seiner Persönlichkeit vibrierte und durchdrang den ganzen Raum. Damien wußte alles über Attila, ohne zu wissen, woher. Und nicht nur die historischen Fakten. Es war, als könne er in Attilas Schädel blicken. Er kannte seine Gedanken, seine Träume, seine wildesten Phantasievorstellungen, und er war von ihrer inneren Wahrheit völlig überzeugt. Es war beinahe so, als habe er Attila in einem früheren Leben gekannt.

Oder als sei er selbst Attila gewesen.

»Attila und sein Bruder Bleda erbten 434 nach Christus das Hunnenreich«, fuhr Damien fort. »Es reichte von den Alpen und der Ostsee bis zum Kaspischen Meer.« Er breitete die Arme aus. »Die beiden Brüder waren unzertrennlich. Zwischen 435 und 439 soll Attila die Barbaren in den nördlichen und östlichen Randgebieten seines Reiches niedergeworfen haben. Allerdings gibt es dafür keine Belege.« Er verstummte und sah Budman an. »Soll ich weitersprechen?«

Der Kaplan begriff, daß der Junge nicht mehr aufzuhalten

sein würde. Budman war gleichzeitig verblüfft und entsetzt, aber irgend etwas veranlaßte ihn, der Szene ihren Lauf zu lassen. Er nickte Damien zu.

»441 versäumte es das Römische Reich, Attila den gebührenden Tribut zu entrichten, und der König griff die Grenze an der Donau an. Er war ein überragender Kriegsmann, der sich einfach nicht aufhalten ließ. Ein Jahr später schlossen die Römer einen Waffenstillstand.«

Die ganze Klasse war wie hypnotisiert.

»Attila war gleichzeitig auch ein geschickter Politiker. Er verstand es, den Aberglauben, der in seinem Volk herrschte, zu seinem Vorteil zu nutzen. Zum Beispiel verehrten die Skythen das nackte Schwert als einen Gott, auch wenn man annahm, daß dieser Gott von der Erde verschwunden sei.

Eines Tages stolperte ein Hirte, der in der Wüste nach einem verirrten Kalb suchte, über ein Schwert, das aus dem Sand ragte, als sei es vom Himmel gefallen. Er brachte es Attila, der mit dem Schwert vor sein Heer trat und es emporreckte. Er verkündete, er schwinge den Geist des Schlachtentodes.«

Die Schüler hingen an Damiens Lippen, nur Mark nicht, der von einem ständig wachsenden Gefühl der Beängstigung erfaßt wurde.

Und nun sagte Damien etwas, das nicht einmal der Kaplan je gehört hatte: »Es besteht die Möglichkeit, daß Attila das Schwert so emporhielt, weil es ihn an seine Kindheit erinnerte. Attila war auf dieselbe Weise emporgehalten worden. Seine Mutter hatte geglaubt, er werde die Macht der Sonne in sich aufnehmen, wenn sie ihn jeden Tag eine Stunde zur Sonne emporreckte. Manche behaupten, das habe seine Hautfarbe verändert und erkläre seine Dunkelhäutigkeit.« Damien verstummte, um Atem zu schöpfen. Sein Herz hämmerte heftig. »Das trug sich zu, als er drei Jahre alt war.«

Der Geistliche glotzte ihn an.

Aber Damien wußte noch mehr. Irgendeine Macht zwang die Fakten aus ihm heraus.

»Attila besaß wenig Ähnlichkeit mit seinem Bruder, wenn man von der Hautfarbe absieht«, fuhr er fort. »Doch man wußte, daß seine Mutter zu ihrer Zeit mit vielen verschiedenen Männern zusammen gewesen war, und das ganz offen. Bei seiner ersten Schlacht war er etwa in meinem Alter.« Er verbesserte sich hastig. »In unserem Alter, meine ich. Es gibt ein Gemälde, das ihn in diesem Alter zeigt, und auf dem er drei Männer gleichzeitig durchbohrt. Vermutlich eine Übertreibung. Er sah in diesem Alter auch sehr gut aus und war von vielen Frauen begehrt. Nicht lange danach begann er an Schwarzen Messen teilzunehmen.«

Das war für Budman zuviel.

»Das ist unerhört!« sagte er. »Wo hast du das her? Nenn deine Quelle!« Das war eine bekannte Formel des Kaplans.

Damien geriet zum erstenmal ins Stocken.

»Ich . . . ich weiß nicht, Sir.« Plötzlich wirkte er unsicher, verwirrt, als sei er in unbekanntes Gelände geraten.

Der Kaplan nutzte seinen Vorteil.

»Und sein Bruder hat an den Schwarzen Messen wohl auch teilgenommen, wie?«

»O nein, Sir«, erwiderte Damien und schüttelte entschieden den Kopf. »Attila hatte ihn inzwischen getötet.«

Mark stöhnte auf.

Damien konnte inzwischen nicht einmal mehr den Sinn seiner Worte erfassen. Die Worte strömten aus ihm heraus, als besäßen sie eigenen Willen.

»Er mußte es tun, um allein herrschen zu können.« Das klang in Damiens Mund so, als hätte es gar keine andere Möglichkeit gegeben. »Und dann«, sagte er und senkte die Stimme, als teile er ein großes, dunkles Geheimnis mit, »legte er sich Namen zu wie ›Der Große Nimrod‹, ›Die Geißel Gottes‹, und . . . der ›*Antichrist*‹!«

Im Klassenzimmer wurde es totenstill.

In diesem Augenblick wurde die Tür aufgerissen, und Neff stürmte herein. Er ging schnurstracks auf den Kaplan zu, der inzwischen ins Schwitzen geraten war und zu zittern begonnen hatte. Neff flüsterte ihm ein paar Worte zu, und Budman nickte.

Neff wandte sich an Damien.

»Komm mit, Thorn!«

Damien gehorchte wortlos.

»Ihr schreibt ab, was auf der Tafel steht«, wies Kaplan Budman die verblüffte Klasse an und verließ mit Damien und Neff den Raum, in dem es sekundenlang still blieb, bevor alle Schüler aufgeregt durcheinanderzuschreien begannen.

Neff ging mit Damien den Flur hinunter, weit genug, um von keiner Person mehr belauscht werden zu können. Der Kaplan ging an ihnen vorbei zur Toilette. Als die Tür zugeklappt war, sah Neff den Jungen an und sagte aufgebracht: »Was hast du dir dabei eigentlich gedacht, Damien?« Es war das erste Mal, daß er ihn beim Vornamen nannte.

Damien, noch immer verwirrt und überwältigt von seinem Auftritt, erwiderte: »Ich habe nur Fragen beantwortet, Sergeant.«

Neff schüttelte den Kopf.

»Du hast dich aufgespielt«, sagte er.

Damien fragte sich nicht einmal, woher Neff wissen konnte, was sich abgespielt hatte. Er war zu überwältigt von dem, was er getan hatte, von dem, was er nie im Bereich seiner Macht geglaubt hatte. »Aber ich habe alle Antworten gewußt!« versuchte er zu erklären. »Auf irgendeine Weise habe ich alles gewußt.«

»Du darfst nicht die ganze Aufmerksamkeit auf dich lenken wollen«, erklärte Neff streng.

»Das wollte ich auch gar nicht«, beteuerte Damien. »Ich spürte einfach diese –«

Neff unterbrach ihn: »Der Tag wird kommen, an dem jeder wissen wird, wer du bist, aber er ist noch nicht da.«

Genau das hatte Buher auch gesagt.

Verwirrt fragte Damien: »Wer *bin* ich?« Er bekam es mit der Angst zu tun. Er wußte nicht, was vorging, wozu er bestimmt war, warum diese Männer ihn für etwas Besonderes zu halten schienen. Er fürchtete, den Verstand zu verlieren.

»Lies deine Bibel«, sagte Neff. »Im Neuen Testament gibt es das Buch der Offenbarung. Für dich, Damien, ist es genau das ... ein Buch der Offenbarung ... für *dich* ... *über* dich.«

Damien starrte ihn an.

»Lies es«, sagte Neff drängend. »Lies, lern, begreife!«

Damien begann vor Angst und Verzweiflung zu weinen.

»Was soll ich denn begreifen?« fragte er und streckte flehend die Hände aus. »Bitte, *sagen* Sie es mir.«

Neff blickte den Jungen lange an, bevor er antwortete, und zwar mit leiser, ehrfürchtiger Stimme: »Wer du bist.« Und er schien sich zu verneigen, bevor er davonging.

Damien stand im dunklen, hallenden Flur, das Gesicht tränenüberströmt, und versuchte die einzelnen Bruchstücke zusammenzusetzen, um zu begreifen, was alle diese Menschen ihm sagen wollten. Schließlich nahm er sich vor, im Buch der Offenbarung zu lesen, um zu sehen, was dort geschrieben stand.

Und ob es wirklich ihn betraf.

Damien erhält in der Militärschule erschreckende Ratschläge von
Sergeant Neff (Lance Henriksen).

7

Die Davidson-Militärakademie verfügte über eine sehr gute Kapelle, deren Hauptfunktion darin bestand, bei den Sportereignissen und zu Feiern aufzuspielen. Mark war erster Hornist. Obwohl das Horn nur über eine begrenzte Tonreihe verfügte, vermochte Mark dem Instrument eine beachtliche Ausdrucksfähigkeit abzugewinnen. Er hatte die – als Ehre geltende – Aufgabe, alle Hornsignale in der Schule zu blasen. Es störte ihn nicht, eine halbe Stunde früher aufstehen zu müssen, um über das Lautsprechersystem »Wecken« zu blasen. Die Schüler sprangen bereitwilliger aus den Betten, wenn das Signal von Mark kam. Ebenso wenig störte sie es, wenn sein »Zapfenstreich« sie zu Bett schickte. Am schönsten fanden sie Marks Signal, das sie zum Essen rief, selbst wenn es sich um einen fleischlosen Tag handelte und der Koch, der Gerüchten nach noch unter Robert E. Lee im amerikanischen Bürgerkrieg gedient hatte, eine seiner geschmacklosen Nudel- und-Käse-Gerichte oder Thunfisch auf den Tisch brachte.

An diesem Tag übte die Kapelle im Haus, weil es nach Regen aussah. Die kleinen, zellenartigen Schlafräume befanden sich im ersten Stock, galerieartig rund um das Treppenhaus angeordnet, mit Blick auf den Exerzierplatz. Die Klassenzimmer lagen im Erdgeschoß, unmittelbar unter den Schlafräumen. Was blieb, war ein weiter Innenraum unter einer zwei Stockwerke hohen Decke, wo die Kapelle ihre Marschformationen üben konnte.

Die Kapelle spielte einen Marsch von Sousa, den Mark sehr schätzte. Er fühlte sich im siebten Himmel, als er hochaufgerichtet marschierte und sich dem Rhythmus der Trommeln überließ. Infolge der besseren Akustik war das Üben im Gelände viel interessanter.

Obwohl erst früher Nachmittag war, begann es draußen schon dunkel zu werden. Die Schüler, die nicht der Kapelle angehörten, studierten entweder in ihren Zimmern oder waren im Turnsaal.

Niemand achtete auf Damien, der sich eben Kaplan Budmans Bibel angeeignet hatte.

In den Zimmern der Jungen lagen keine Bibeln. Der lange Arm der Kirchen reichte nicht bis in die Militärakademie. Zuerst hatte Damien nach einer Bibel in der Bibliothek geforscht, aber selbst dort keine finden können. Er argwöhnte, daß er in den falschen Regalen und unter der falschen Eintragung in der Kartei gesucht hatte, aber er war viel zu vorsichtig, um Hilfe zu erbitten. Er wollte nicht, daß jemand davon erfuhr.

Als intelligenter und einfallsreicher Junge begriff er jedoch schnell, daß auf jeden Fall der Kaplan im Besitz einer Bibel sein mußte. Es konnte nur darum gehen, sie zu finden.

Er wartete bis zur nachmittäglichen Pause, zu der die meisten Schüler und das Personal sich in ihre Zimmer zurückzogen und die Kapelle ziemlich großen Lärm machte. Er stahl sich in das Büro des Geistlichen, das, wie alle anderen Räume in der Schule, nie abgeschlossen wurde.

Im Regal hinter Budmans Schreibtisch standen mehrere Ausgaben der autorisierten englischen Bibelübersetzung. Damien griff nach dem bescheidensten Band, in der Hoffnung, er werde am wenigsten vermißt werden. Er hatte vor, die Offenbarung an diesem Nachmittag zu lesen und das Buch abends zurückzubringen.

Als er durch die Galerie zu seinem Zimmer ging, hämmerte das Blut in seinen Adern. Er schob den Vorhang zurück, der als Tür zu seinem Zimmer diente (»Einer, der ein Schloß braucht, ist einer, der etwas zu verstecken hat«, pflegte der

Damien, entschlossen, sein Schicksal zu erkunden, nimmt die Bibel des Kaplans mit sich, um in ihr zu lesen.

Oberst zu sagen), und setzte sich, um sich zu sammeln. Er preßte die Hände an die Schläfen.

Nun würde er erfahren, wer er war.

Damien riß die Wolldecke von seinem Bett, holte die Bibel unter seinem Uniformrock hervor, streckte sich bäuchlings auf der Matratze aus und begann zu blättern, bis er das Buch der Offenbarung gefunden hatte. Er begann zu lesen: »Und der ganze Erdboden verwunderte sich des Tieres. Und beteten den Drachen an, der dem Tier die Macht gab, und beteten das Tier an und sprachen: Wer ist dem Tier gleich? Und wer kann mit ihm kriegen?«

Damien hob den Kopf und versuchte zu begreifen, was das bedeutete. Er dachte an Mark, der ihn von Anfang an angebetet zu haben schien, und an Teddy, der es jetzt tat. Er dachte an Buher und Neff, und daran, wie sie ihn herausgehoben und ihm das Gefühl vermittelt hatten, er sei etwas Besonderes und bedeutender als sie selbst. Und er dachte an seine athletischen Fähigkeiten, und daran, daß niemand ihn zu besiegen vermochte.

Erregt las er weiter: »Und ich sah das Tier und die Könige auf Erden und ihre Heere versammelt, Streit zu halten mit dem, der auf dem Pferde saß, und mit seinem Heer . . .«

Und er erinnerte sich, wie klar er Attila verstanden hatte, wie die Bilder, während er erzählt hatte, für ihn so deutlich geworden waren, als sei er dabeigewesen, auf einem Pferd sitzend, umgeben von einer Kriegerhorde, die seine Befehle erwartete.

Er schluckte krampfhaft. Das in ihm wachsende Gefühl schien explodieren zu wollen. Er stand auf, ließ das Buch fallen und ging im Zimmer umher. Er mußte sich bewegen. Seine Angst war groß, seine Gier, mehr zu erfahren, noch größer. Er bückte sich und hob das Buch auf, fuhr mit brennenden

Augen fort zu lesen: »Und das Tier, das ich sah, war gleich einem Pardel, und seine Füße als Bärenfüße, und sein Mund wie eines Löwen Mund. Und der Drache gab ihm seine Kraft und seinen Stuhl und große Macht.«

Damien begriff, daß die Worte Metaphern waren, und er wußte auf irgendeine Weise, daß Attila oft in dieser Art beschrieben worden war. Seine Soldaten kamen von der Schlacht zurück und erzählten, wie wild und grausam er gewesen war, wie er im Kampf ausgesehen hatte. Und Damien dachte daran, wie die Geschichten mit jeder Wiedergabe ausgeschmückt worden sein mußten, bis sie zur Legende geworden waren, bis Attila zu einem furchterregenden, gefährlichen Tier geworden war, gegen das kein Mensch hatte bestehen können.

Er fragte sich, ob die Menschen sich einst Ähnliches über ihn erzählen würden. Und er las weiter, obwohl die Wörter vor seinen Augen verschwammen: »Und es macht, daß die Kleinen und Großen, die Reichen und Armen, die Freien und Knechte, allesamt sich ein Malzeichen geben an ihre rechte Hand oder an ihre Stirn. Daß niemand kaufen oder verkaufen kann, er habe denn das Malzeichen, nämlich den Namen des Tieres oder die Zahl seines Namens. Und es ward ihm gegeben, zu streiten mit den Heiligen und sie zu überwinden; und ihm ward Macht gegeben über alle Geschlechter und Sprachen und Nationen.«

Damiens Herz schlug wild. Was er am liebsten getan hätte, war, aufzuhören mit dem Lesen, zu vergessen, was er eben gelesen hatte, das furchtbare Buch zurückzutragen, es wegzuwerfen, es zu verbrennen.

Er schleuderte die Bibel durch das Zimmer. Sie prallte an die Wand und fiel zu Boden. Der Kadett nebenan klopfte an die Wand und verlangte Ruhe.

Damien blieb regungslos stehen und starrte das Buch an. Es

zog ihn an wie Feuer die Motte. Obwohl er das Gefühl hatte, daß es ihn verbrennen würde, wenn er es berührte, war es so verlockend, so verheißungsvoll, daß er sich nicht helfen konnte. Er wußte, daß er nur noch einen kleinen Schritt von der Lösung des Rätsels entfernt war, und er mußte wissen, wie es weiterging, und wenn es ihn die Seele kostete.

Er hob das Buch vorsichtig auf und schlug wieder die Offenbarung auf. Die Seiten waren geknickt und zerknüllt, wo das offene Buch an die Wand geprallt war.

Ein Schaudern lief durch seinen Körper, als fiebere er. Seine Hände zitterten, als sie die Stelle fanden, wo er zu lesen aufgehört hatte, und mit der größten Willensanstrengung seines Lebens las er weiter: »Hier ist Weisheit. Wer Verstand hat, der überlege die Zahl des Tieres; denn es ist eines Menschen Zahl, und seine Zahl ist sechshundertundsechsundsechzig.«

Damien klappte das Buch gewaltsam zu. Da war also der Beweis, ein Zeichen! Und wenn er es nicht trug, war er frei und in Sicherheit! Er preßte die Bibel an die Brust, obwohl er sie verabscheute und am liebsten jede Seite einzeln zerfetzt hätte, und stürmte hinaus, lief durch den Flur zum Waschraum.

Niemand hielt sich dort auf. Die Fliesen glänzten im Schein der Leuchtröhren, greller als der Tag draußen, der noch dunkler geworden war. Der Wind hatte sich gesteigert und heulte durch die Baumwipfel, schwarze Wolken am Himmel vor sich hertreibend.

Mit zitternden Händen legte Damien die Bibel auf den Rand des Waschbeckens und stellte sich vor den Spiegel. In ihm gab es keinen Zweifel darüber, wonach er suchte. Er beugte sich vor und starrte sein Spiegelbild an.

An seiner rechten Hand war kein Zeichen zu sehen; es hätte ihm längst auffallen müssen. Trotzdem untersuchte er sie noch einmal gründlich und hielt sie unter die Leuchtröhre, drehte sie hin und her.

Nichts. Eine normale Hand. Dann fiel ihm eine andere Stelle ein, wo das Zeichen sein konnte, ohne daß er es bisher bemerkt hatte.

Er zerteilte sein Haar mit bebenden Händen und starrte auf die Kopfhaut.

Nichts.

Er schob es an einer anderen Stelle auseinander.

Auch hier nichts. Es kam ihm vor, als habe der Wahnsinn ihn erfaßt. Weshalb sonst hätte er zugelassen, über das Entsetzliche auch nur nachzudenken?

Oder lag es einfach daran, daß er sich von den Erwachsenen ihre eigenen Ängste aufschwatzen ließ? Vielleicht spürte er, nun, da er dreizehn war und angeblich zum Mann geworden, die ersten Regungen des Geschlechtstriebes. Vielleicht war es das. Vielleicht verloren manche Leute deshalb den Verstand.

Damien griff höher hinauf über seine Stirn, zog die Haare auseinander und starrte hin.

Und da war es.

Kein Wunder, daß niemand es zuvor bemerkt hatte. Es war so *winzig*. Aber es war da. Oder *sie* waren da; winzige Ziffern, selbst unter dem gleißenden Licht der Neonröhre kaum sichtbar.

666.

Damien ächzte und taumelte unter dem Schock an die Wand. Es war wirklich wahr – alles, was er gefürchtet, was Neff ihm gesagt, was Buher heimlich angedeutet hatte. Es war *alles wahr*.

Und er war nur ein kleiner Junge.

Die Tränen schossen ihm in die Augen, als er hinausstürzte, die Bibel an die Brust gepreßt. Er wußte nicht, was er tun, wohin er sich wenden sollte. Alles, was er wußte, war, daß er für eine Zeit allein sein mußte.

Er lief durch die Galerie zur Treppe. Die Kapelle übte noch immer. Als Damien die Stufen hinunterhetzte und hinausstürmte, entdeckte ihn Mark.

»Damien!« rief er.

Aber Damien lief weiter. Als er an Budmans Büro vorbeikam, blieb er stehen, um die Bibel zurückzugeben. Aber die Tür stand einen kleinen Spalt offen. Budman mußte da sein. Damien warf die Bibel vor der Tür auf den Boden und rannte in die entgegengesetzte Richtung davon, den Korridor hinunter und ins Freie, über das verlassene Sportfeld, zum Eingangstor der Schule, die Straße entlang, weiter, immer weiter, so schnell, wie er nie zuvor gelaufen war, auf der Flucht, fort von der Schule, fort von Neff und Buher und der Bibel und dem furchtbaren Wissen, was er in sich trug.

Auf der Flucht vor sich selbst.

Damien hetzte die Straße hinunter, bis seine Lungenflügel mit jedem Atemzug Feuer in ihn hineinpumpten, bis seine Beine aus Blei waren und wie zentnerschwere Gewichte an seinem Körper hingen.

Als es den Anschein hatte, daß er sterben müsse, wenn er nur noch einen einzigen Schritt mehr tat, wankte er an einen vereinzelt stehenden Baum und sank in die Knie. Er weinte.

Nach langer Zeit blickte er hinauf zum dunkelnden Himmel voller Regenwolken. Ferner Donner grollte. Damien streckte verzweifelt die Arme aus und begann wieder hilflos zu schluchzen. Über ihm, hoch im Wipfel des Baumes, saß der riesenhafte schwarze Rabe. Der Vogel legte den Kopf wissend auf die Seite und starrte beinahe triumphierend zu dem Jungen hinunter.

Damien wäre entsetzt, wenn auch nicht verwundert gewesen, hätte er in dieser Nacht Zeuge von zwei kleinen Mirakeln sein können.

Das erste begab sich in Paul Buhers Schlafzimmer, als dieser zu Bett ging. Er nahm den Ring ab, den er von dem Augenblick an, als er »gerufen« worden war, am rechten Ringfinger getragen hatte. Und dort am Finger war das Mal, auf das er die ganze Zeit gewartet hatte. Winzig, kaum wahrnehmbar. Buher geriet in Verzückung. Das Zeichen war gekommen. Die drei Ziffern – 666. Endlich war er aufgenommen.

Das zweite Mirakel trug sich im kleinen Badezimmer von Daniel Neffs Appartement in der Militärschule zu. Nachdem sich Neff das Gesicht gewaschen und die Zähne geputzt hatte, schob er die Haare von der Stirn zurück und beugte sich zum Spiegel vor, wie jeden Abend, seitdem der »Ruf« ergangen war. Und nun war das Mal erschienen. Endlich. Drei Ziffern – 666.

Nichts stand ihnen mehr im Weg.

Es war kurz nach zehn Uhr. Mark warf sich im Halbschlaf unruhig hin und her.

Er war nach der Probe in das Zimmer zurückgekehrt, das er gemeinsam mit Damien bewohnte, und er hatte das Bett seines Cousins zerwühlt vorgefunden. Er hatte das Bett gemacht und lag nun auf seinem eigenen. Die Unruhe ließ ihn nicht schlafen. Damien war immer noch nicht zurückgekommen.

Endlich hörte er Damiens leise Schritte. Er drehte sich herum und starrte Damien an, der unter der Tür stehengeblieben war.

»Wo bist du gewesen?« fragte Mark gepreßt. »Ich habe mir Sorgen gemacht!«

Damien sagte gar nichts. Er ging lautlos zu seinem Bett, legte sich hin und starrte an die Decke.

»Damien!« flüsterte Mark scharf, aber er bekam keine Antwort. Er sah zu, wie Damien an die Decke starrte, bis er es nicht mehr aushielt. »Bist du in Ordnung?« fragte er lauter.

Damien reagierte lange nicht, aber schließlich sagte er: »Jetzt ist es wieder gut. Mach das Licht aus. Wir bekommen sonst Ärger.«

Mark knipste die Lampe aus. Als sich seine Augen der Dunkelheit angepaßt hatten und er Damien regungslos auf dem Bett liegen sehen konnte, fragte er: »Fehlt dir wirklich nichts?«

»Schlaf jetzt«, antwortete Damien rauh. Er drehte sich auf die Seite.

Mark brauchte lange, bis er einschlafen konnte.

8

Pasarian hastete über das Vorfeld, erschöpft vom langen Flug, eine schwere Aktentasche in der Hand. Hinter ihm stand die große Düsenmaschine des Konzerns, mit der er direkt aus Indien gekommen war.

Pasarian ging sofort zur nächsten Telefonzelle. Es war später Sonntagabend, aber das Gespräch duldete keinen Aufschub: Thorn mußte erfahren, was geschehen war, und zwar auf der Stelle.

Pasarian gab seine Kreditkartennummer durch und trommelte nervös mit den Fingern an die Glasscheibe, während er auf die Verbindung mit Thorn in seinem Haus am See wartete.

Der Butler, der sich meldete, erklärte, daß Thorn nicht zu erreichen sei und erst spät zurückerwartet werde, versicherte aber, daß Thorn sofort am nächsten Morgen unterrichtet werden würde.

Pasarian überlegte enttäuscht, wie es weitergehen solle. Wenn er bis morgen wartete, konnte alles nur noch schlimmer werden. Die Nachricht war eigentlich für Thorn selbst gedacht, aber Pasarian griff nach einer Weile noch einmal nach dem Hörer und wählte Buhers Rufnummer.

Buhers Wohnung war unpersönlich und kalt wie die Schalterhalle einer Bank. Das einzig Bemerkenswerte an ihr war der Ausblick auf ein atemberaubendes Rundumbild von Chicago.

Buher hatte gelesen, als das Telefon läutete. Er streckte die Hand aus und nahm den Hörer ab.

»Buher.«

Es blieb kurze Zeit still, dann meldete sich Pasarians Stimme: »Paul? Ich bin's, David. Ich muß mit Ihnen reden.«

»Wo sind Sie?«

»Am Flughafen. Hier in Chicago. Ich mußte früher abreisen. Es hat Schwierigkeiten gegeben.«

»Kommen Sie gleich zu mir.«

In diesem Augenblick genossen Richard und Ann einen gemeinsamen Abend. Da die Jungen wieder in der Schule waren, keine Gäste ins Haus standen, keine Sitzung drohte und keine Anrufe zu erledigen waren, hatten sie beschlossen, eine nächtliche Schlittenfahrt zu machen.

Der Schlitten war groß und altmodisch, so schwer, daß nur ein kräftiges schottisches Zugpferd ihn ziehen konnte. Thorn hatte zum vorigen Weihnachtsfest von einem Freund zwei

Clyesdale-Pferde erworben. Ann hatte den Schlitten neu streichen und ihn mit Glöckchen ausstaffieren lassen. Nach einer erfrischenden, berauschenden Nachtfahrt waren sie nun auf dem Rückweg nach Hause. Sie saßen, eingehüllt in warme Decken, eng beieinander und fragten sich, womit sie soviel Glück verdient hatten . . .

Richard entdeckte die Nachricht Pasarians sofort, als er hereinkam. Er versuchte gleich mit ihm zu telefonieren, aber Pasarian meldete sich nicht. Richard zuckte die Achseln und legte auf.

»Nicht da«, sagte er, drehte sich um und nahm Ann in die Arme. »Ich spreche morgen mit ihm. So wichtig kann es nicht sein.«

Ann stellte sich auf die Zehenspitzen und küßte ihn. Auf ihrem Haar lagen immer noch Schneekristalle.

»Nichts ist wichtiger als das, was wir jetzt tun«, sagte sie leise, nahm ihn bei der Hand und führte ihn die Treppe hinauf zu ihrem Schlafzimmer.

Pasarian saß erschöpft und niedergeschlagen auf dem Ledersofa in Buhers Wohnzimmer und schlürfte Kaffee. Er hatte den angebotenen Alkohol abgelehnt, weil er befürchtete, sonst auf der Stelle einzuschlafen.

Buher stand am Fenster, ein volles Glas in der Hand, und bemühte sich zu verdauen, was Pasarian ihm gerade mitgeteilt hatte.

»Sie glauben also, der Mann sei *ermordet* worden, weil er nicht an uns verkaufen wollte?« sagte Buher. »Von einem unserer eigenen Leute?« Er leerte das Glas fast auf einen Zug.

Pasarian nickte müde.

»Ich bin mir fast sicher«, erwiderte er.

»Das ist doch absurd!« sagte Buher und trat an die Bar, um nachzufüllen.

»Ich war in acht Bezirken und habe mir die in Frage stehenden Flächen angesehen«, berichtete Pasarian, »und in dreien davon –«

»Drei?«

»Drei Tote.« Pasarian trank einen Schluck Kaffee und stellte die Tasse ab. »Für mich sind das drei zuviel, Paul.«

»Wer kann dahinterstecken?« fragte Buher, wieder auf dem Weg zum Fenster.

»Keine Ahnung«, antwortete Pasarian.

»Tja«, meinte Buher seufzend, »ich muß mich darum kümmern.«

Pasarian stand auf. »Informieren wir Richard?« fragte er, während er nach seinem Mantel griff.

»Wir müssen!« sagte Buher heftig. »Ich rufe ihn gleich morgen an.« Er half Pasarian in den Mantel. »Ach, übrigens möchte er Sie sprechen«, sagte er.

»Richard? Weshalb denn?«

Buher begleitete ihn zur Tür.

»Anscheinend funktioniert mit Ihrem P 84 irgend etwas nicht. Auf Ihrem Schreibtisch liegt ein Bericht. Richard macht sich Sorgen. Sie müssen das morgen früh gleich prüfen.« Er drückte Pasarian die Hand und fügte hinzu: »Ich möchte das Projekt nicht gerne einstellen müssen, David.«

Pasarian nickte.

»Ich befasse mich damit«, sagte er und öffnete die Tür.

Buher starrte ins Leere.

»Hoffentlich haben wir draußen nicht ein paar Übereifrige«, meinte er. Er sah Pasarian an und lächelte. »Danke für Ihren Besuch, David. Ich bin wirklich froh, daß Sie mir Ihr Vertrauen geschenkt haben.«

Pasarian nickte, aber als er ging, war er nicht ruhiger als zuvor. Er konnte nicht entscheiden, ob er das Richtige getan hatte.

Durch Pasarians überraschende Rückkehr, verbunden mit den schlechten Nachrichten und den anderen Problemen, hatte Buher ganz vergessen, daß an diesem Tag die beiden Jungen die gigantische neue Agraranlage besichtigen wollten, die der Konzern erst vor kurzem erworben hatte.

Als er aus dem Fenster seines neuen Büros blickte und den Bus der Militärschule sah, war er zunächst verblüfft. Dann fiel ihm der Grund ein, und er bat seine Sekretärin über die Sprechanlage, zunächst keine Gespräche mehr durchzustellen. Er mußte die Jungen willkommen heißen.

Sie hätten sich kaum einen unpassenderen Augenblick aussuchen können, dachte er. Aber zu ändern war das nun nicht mehr.

Die Kadetten zeigten sich beeindruckt. Sie hatten gewußt, daß die Thorn-Söhne aus reichem Hause stammten, aber eine Vorstellung vom Umfang der Konzernaktivitäten hatte sich keiner machen können.

»Gibt es dann im Direktorenkasino auch Essen?« fragte Teddy und rieb sich die Magengegend.

»Versteht sich«, entgegnete Damien.

»Bei dir probieren wir ein neues Pestizid aus«, sagte Mark trocken, und es gab Gelächter.

Sie betraten das Hauptgebäude, wo Buher sie erwartete. Damien fühlte sich ihm gegenüber ein wenig gehemmt. Der Junge hatte nicht genug Zeit gehabt, auch nur bruchstückweise zu verdauen, was mit ihm geschehen war. Er fühlte sich kräftiger und kühner, aber er wußte, daß die Zeit des Handelns noch nicht gekommen war. Er warf einen kurzen Blick auf Buher, bevor er an eine Glaswand mit der Aufschrift: »Pestizide. Kein Zutritt für Unbefugte« trat.

Er starrte durch das Glas und sah einen riesigen Saal, der endlose Rohrleitungen und zahllose Geräte enthielt, die in allen Farben schillerten. Das Ganze sah aus wie das Innere eines titanenhaften Roboters.

Diesen Raum hatte Pasarian einrichten lassen. Er stand an einer großen Computerkonsole und starrte auf die vielfarbigen Lämpchen und Skalen, während er nach dem Telefon griff und eine Nummer eintastete.

»Noch mehr Druck, Tom!« rief er und schaute zu einem Techniker auf einem Laufgang über ihm hinauf. Dann sagte er in die Muschel: »Hier Pasarian. Ist Mr. Thorn schon da?«

Als die Stimme am anderen Ende der Leitung verneinte, rief Pasarian erregt: »Er hat auch nicht angerufen?«

»Nein, Sir.«

»Bitte, geben Sie mir Bescheid, sobald er kommt. Es ist äußerst dringend.« Er legte auf und fluchte vor sich hin. Nach einem Blick auf die Regler rief er nach oben: »Noch etwas mehr Druck, Tom!«

Nachdem Buher die Kadetten einem Führer übergeben hatte, eilte er zurück in sein Büro, um an einer Sitzung mit den jungen Abteilungsleitern teilzunehmen. Die Besprechung war schon seit Wochen angesetzt. Buher legte großen Wert darauf, sich mit den Nachwuchsmanagern zu beschäftigen, zu sieben und zu beobachten, wer seinen Vorstellungen am besten entsprach.

Buher stand am Pult und hielt einen längeren Vortrag.

»Im Fall einer Landerwerbung, wie wir sie derzeit in Indien durchführen«, sagte er, »müssen wir uns dagegen absichern, daß die einheimische Bevölkerung uns als Ausbeuter verdächtigt. Ausbeuter sind wir nämlich ganz und gar nicht. Betonen Sie das überall, wohin Sie auch kommen. Wir sind da, um zu helfen. Den Menschen dort mangelt, ohne daß sie etwas dafür könnten, kulturell und ausbildungsmäßig all das, worüber wir hier in Amerika im Überfluß verfügen. Wir würden unsere Pflicht als Mitarbeiter des Konzerns und als Amerikaner verletzen, wenn wir nicht mit jenen teilen wollten, die vom Glück nicht so begünstigt sind wie wir. Und merken Sie sich: Wenn wir Indien und den Nahen Osten mit Nahrung versorgen, verhindern wir, daß die Russen ihre Einflußsphäre dorthin ausdehnen. Wir gewinnen so nicht nur die Dankbarkeit der Menschen, sondern sichern uns auch die notwendigen Ressourcen für die Bewältigung der Zukunft.«

Buher wollte weitersprechen, sah aber seine Sekretärin hereinkommen. Er verstummte und blickte sie fragend an.

»Mr. Pasarian hat mit der Arbeit am P 84 begonnen«, sagte sie. »Ich sollte Ihnen Bescheid sagen.«

»Vielen Dank.« Buher wandte sich seinen Zuhörern zu und lächelte: »Meine Herren, wir machen eine halbe Stunde Pause.«

Er ging und schloß die Tür hinter sich. Die Neuen konnten warten. Pasarian nicht.

Der Führer der Kadetten durch die Anlage war ein eifriger junger Mann aus der Abteilung für Öffentlichkeitsarbeit. Er strengte sich besonders an, in der Hoffnung, Mr. Thorns Söhne zu beeindrucken und auf diese Weise vielleicht ein wenig schneller vorwärtszukommen.

Er hatte sie in die Pestizid-Abteilung geleitet.

»Damit die Ernten besser und ertragreicher werden«, sagte er, »braucht man immer wirksamere Düngemittel, aber auch immer wieder neue Insektenvertilgungsmittel.«

Sie blieben vor den verriegelten Türen des Pestizid-Saales stehen, wo Pasarian am P 84 arbeitete. Der Führer zeigte seinen Ausweis, und die Kadetten durften eintreten. Man schloß die Türen hinter ihnen wieder ab.

»Diese komplizierte Anlage wird von drei Männern betrieben, die sich eines Großcomputers bedienen.« Er wies auf einen verglasten Raum. »Deshalb sieht man hier niemanden.«

»Gibt es nicht ein Pestizid, das auf den Sex wirkt?« sagte Teddy vorlaut, und die anderen Kadetten grinsten.

»Völlig richtig«, nickte der Führer. »Das sind sogenannte Pheromone, die man Insekten entzieht, um ihre Geschlechtspartner in eine Falle zu locken. Tötet man genug davon, kann es unter Umständen gelingen, eine ganze Insektenart auszurotten.«

Er führte sie über eine Metalltreppe zu einem Laufgang hoch über dem Labyrinth farbiger Rohre hinauf.

»Das ist eine Shunt-Anlage«, erläuterte er, als sie weitergingen. »Wie alles andere ist sie auch an den Computer angeschlossen. Man hat sie darauf programmiert, exakt bemessene Mischungen von Gasen und Lösungen aus Speicherbehältern in die Hauptanlage einzuspeisen.«

Sie konnten Pasarian unter sich an einem komplizierten Druckventil arbeiten sehen, das an einen gelben Rohranschluß montiert war. Er hob zufällig den Kopf und erkannte die beiden Thorn-Jungen.

»Mark! Damien!« rief er. »Was macht ihr denn hier?« Es behagte ihm nicht, daß sie in den Saal gekommen waren, noch dazu an einem Tag, an dem nichts zu klappen schien.

Die Jungen blickten hinunter und lächelten.

»Wir machen die große Besichtigungstour!« rief Damien. Er und Mark winkten, dann gingen sie weiter. Pasarian schüttelte unzufrieden den Kopf.

Plötzlich brach auf der anderen Seite des Raumes in einer der oberen Etagen ein Rohr, und dichter, gelber Dampf strömte aus.

»Ein Leck!« schrie jemand.

Pasarian blickte hinauf und sah seinen Mitarbeiter zusammenbrechen, über das Geländer stürzen und mit dem Kopf aufschlagen. Pasarian traute seinen Augen nicht. Er rannte zur Konsole zurück und schrie: »Alles hinaus! Schafft sofort die Jungen raus!«

Seine Stimme drang hinauf zu den Kadetten und ihrem Führer, der erschrocken herumfuhr. Das Gas breitete sich rasch aus.

Pasarians Blick irrte fieberhaft über die Skalen. Der Druck fiel immer mehr ab, als das Gas zischend in den Raum strömte.

An der Konsole gab es einen Notfallknopf. Pasarian zögerte nicht länger und drückte ihn.

Er blickte durch die Glaswand in den Computerraum und sah zwei Techniker in weißen Kitteln sorglos miteinander reden. Aus irgendeinem Grund reagierte die Alarmanlage nicht. Pasarian konnte natürlich nicht ahnen, daß Buher selbst am frühen Morgen an der Konsole einen kleinen Eingriff vorgenommen hatte.

Pasarian drückte wieder auf den Knopf, aber die beiden Techniker hörten nach wie vor nichts.

Pasarian jedoch hörte etwas: ein neues Geräusch – die Schreie der Kadetten, als sie hustend durcheinander drängten, um den Ausgang zu erreichen. Sie rangen verzweifelt nach Luft, ihre Augen tränten, manche hatten bereits kleine Bläschen an Gesicht und Händen.

Ihr Führer rannte zu einem Lastenaufzug und drückte wild auf den Knopf.

Nichts. Auch der Aufzug funktionierte nicht.

Der junge Mann wußte nicht, was er tun sollte, und drückte nur immer wieder hilflos auf den Rufknopf.

Der einzige, der nicht in Panik geriet, war Damien. Das Gas hatte auf ihn keine Wirkung. Er schaute sich nach seinen Kameraden um, die der Reihe nach zusammenbrachen, und zum erstenmal spürte er seine Macht.

Er begriff auch, daß er noch immer über freien Willen verfügte. Er konnte sich jetzt entfernen und der einzige Überlebende sein, oder er konnte den anderen helfen und dadurch zum Helden werden.

Er beschloß, den anderen zu helfen. Es gefiel ihm, ein Held zu sein.

Er starrte prüfend an die Decke und sah eine metallene Leiter, die an einer Wand zu einer Luke hinaufführte, durch die man auf das Dach gelangen konnte.

»Hierher!« rief er und lief auf die Leiter zu. Er kletterte leichtfüßig an ihr hinauf, erreichte die große Luke, stieß sie auf und ließ Sonne und frische Luft herein.

Die anderen Kadetten und der Führer rafften sich auf und hasteten ihm nach, stützten einander, stemmten sich gegenseitig die Sprossen hoch und gelangten aufs Dach, wo sie sich hinwarfen und gierig die Luft einsogen.

Damien dachte plötzlich an Pasarian. Er vergewisserte sich, daß keiner seiner Kameraden zurückgeblieben war, huschte zur Luke und ließ sich hinuntergleiten. Er hastete auf dem höchsten Laufgang zu einer Metalltreppe und stürmte sie hinunter.

Nichts. Kein Pasarian. Nur das gelbe, giftige Gas, das in Schwaden in der Luft hing, immer dichter wurde und den ganzen Saal zu füllen begann. Eine Alarmanlage hatte sich eingeschaltet, überall blinkten rote Lampen.

Damien lief auf die andere Seite hinüber und hetzte die Metalltreppe zur nächsten Etage hinunter.

Und dort sah er Pasarian. Aber Pasarian sah ihn nicht.

Pasarian lag am Boden zusammengebrochen neben dem geborstenen Ventil, eine Hand vergebens nach diesem ausgestreckt, um es abzustellen. Sein aufgedunsenes, von Blasen bedecktes Gesicht war beinahe unkenntlich.

Er war tot.

Damien wandte sich entsetzt ab und lief auf die Leiter zu, so schnell er konnte.

Oben auf dem Dach sah er seine Kameraden noch immer am Boden liegen. Sie wälzten sich keuchend herum, von Schmerzen gepeinigt. Damien suchte sich einen Weg durch die zuckenden Leiber und fand Mark. Er kniete nieder, um ihn aufzurichten.

Und während er das tat, begann Damien zu begreifen, daß ihm gefiel, was er geworden war.

9

Richard Thorn wollte wissen, was sich abgespielt hatte, und das auf der Stelle.

Er und Ann hatten Lakeside sofort verlassen, als die Nachricht gekommen war. Sie landeten auf dem O'Hare-Flughafen, nahmen ein Taxi und ließen sich zum Kinderkrankenhaus fahren, wo man die Kadetten nach dem Unglück untergebracht hatte.

Thorn stand blaß, unrasiert und vor Wut zitternd im Korridor und telefonierte mit Buher.

»Sie scheinen sich zu erholen«, sagte er, »aber ich habe mit dem Arzt noch nicht ausführlich sprechen können. Ich wünsche einen vollständigen Bericht über die Vorkommnisse. Er hat morgen früh auf meinem Schreibtisch zu liegen.« Er hängte ein und lehnte sich an die Wand.

Aus dem Augenwinkel sah er einen hochgewachsenen, farbigen Arzt herankommen, der das Zimmer Marks und Damiens betrat. Thorn folgte ihm.

Ann saß auf einem Stuhl zwischen den beiden Betten. Mark sah blaß und geschwächt aus und hielt die Hand seiner Stiefmutter fest. Damien dagegen schien es gut zu gehen.

Der Arzt ging auf Ann zu und stellte sich als Dr. Kane vor.

»Sie werden wieder ganz gesund«, sagte Dr. Kane. »Wir haben eine Lungenschädigung völlig ausschließen können. Die Übelkeit wird noch eine Weile anhalten, aber es wird zu keiner dauernden –«

»Ich wünsche die bestmögliche Pflege«, unterbrach Thorn.

Kane nickte.

»Darauf können Sie sich verlassen«, sagte er und führte Thorn beiseite. »Kann ich Sie einen Augenblick unter vier Augen sprechen?« fragte er leise.

»Gewiß.« Thorn verließ mit ihm das Zimmer.

Damien sah ihnen neugierig nach.

Auf dem Korridor wartete Dr. Kane, bis ein Pfleger außer Hörweite war, bevor er zu sprechen begann. Thorn sah, daß der Arzt tief beunruhigt zu sein schien.

»Wir haben alle möglichen Untersuchungen auf Blut- und Gewebeschäden angestellt«, sagte Dr. Kane, »und jeder von den Jungen war in unterschiedlichem Maße betroffen – wenngleich nicht ernst, wie ich schon sagte.« Er machte eine Pause. »Alle – bis auf Ihren Sohn Damien.«

In Thorns Gesicht zuckte ein Muskel.

»Was meinen Sie damit?« fragte er. »Ist er –«

»Nein, nein, Mr. Thorn. Nicht, was Sie meinen.« Er suchte nach Worten. »Sehen Sie«, sagte er schließlich, »Damien zeigte . . . überhaupt keine Einwirkung.«

Im Krankenzimmer fragte Damien: »Was geht denn da vor?« Seine Augen funkelten zornig.

Ann schien es nicht zu bemerken. Sie wartete auf Thorns Rückkehr und hielt den Blick auf die Tür gerichtet.

»Ach, weiter gar nichts«, meinte sie. »Die Ärzte tun gern geheimnisvoll.«

Als die beiden Männer zurückkamen, wirkte Thorn tief betroffen.

»Der Arzt wünscht, daß Damien ein paar Tage hierbleibt«, sagte er, um Beiläufigkeit bemüht. »Er möchte noch einige Untersuchungen anstellen.«

Damien setzte sich auf.

»Aber mir fehlt doch nichts«, protestierte er. »Warum muß ich hierbleiben, wenn –«

»Weshalb wollen Sie noch Untersuchungen anstellen?« sagte Ann zu Dr. Kane.

Thorn warf ihr einen verweisenden Blick zu.

»Ich will aber nicht hierbleiben!« widersetzte sich Damien laut. Ann griff nach seiner Hand.

Auch Mark kam seinem Bruder zu Hilfe.

»Wenn er nicht wegdarf, bleibe ich auch da.«

Ann sah den Arzt an und zuckte die Achseln.

»Warum können wir ihn nicht mitnehmen und nächste Woche wiederbringen? Das Erlebnis war doch grauenhaft für die jungen Leute.«

»Wäre das in Ordnung?« fragte Thorn.

Der Arzt schien nicht einverstanden zu sein, aber er wußte, daß er nicht viel auszurichten vermochte.

»Nun gut«, nickte er.

Ann lächelte strahlend und umarmte Damien.

»Also, Jungs«, sagte sie, »warum ruht ihr euch nicht aus, und wir kommen später vorbei und holen euch ab. Wir fahren gleich nach Lakeside, ja? Die Luft dort wird euch guttun.«

Die Jungen nickten begeistert, küßten ihre Eltern zum Abschied und sahen ihnen nach, als sie mit Dr. Kane den Raum verließen.

Am späten Abend war Dr. Kane noch immer über sein Mikroskop gebeugt und versuchte den Sinn dessen zu ergründen, was er vor sich hatte.

Er befand sich ganz allein im Labor der Klinik. Er hatte auf das Abendessen verzichtet und weitergearbeitet; als er jetzt vielleicht zum hundertstenmal auf den Abstrich unter dem Mikroskop starrte, durchlief ihn ein leichtes Schaudern des Ekels, der auf seltsame Weise mit dem Kitzel verbunden war, den ein Wissenschaftler spürt, wenn er etwas sieht, das nach seiner Überzeugung noch keinem anderen Menschen vor Augen gekommen ist.

Er warf wieder einen Blick auf das Buch neben sich, einen dicken, blauen Band mit winzigem Druck und vielen Detailphotographien, und starrte in das Okular. Kein Zweifel.

Damien Thorn hatte die Chromosomenstruktur eines Schakals.

Das ergab keinen Sinn, es wirkte wie ein schlechter Witz, und trotzdem hatte Kane hier einen unwiderleglichen Beweis vor sich.

Aus irgendeinem Grund wollte er sich nicht länger allein

damit befassen. Kane griff nach dem Telefonhörer und wählte eine Nummer.

Nachdem es siebenmal geläutet hatte, wollte er schon auflegen, als plötzlich eine Stimme sagte: »Ja?«

»Ben!« rief Kane. »Gott sei Dank, daß Sie noch da sind! Kann ich einen Augenblick hinunterkommen und mit Ihnen reden?«

»Na ja, ich wollte gerade gehen.«

»Bitte«, sagte Kane, »es ist sehr dringend!«

»Also gut«, erwiderte sein Kollege, »kommen Sie her.«

»Danke, Ben. Ich bin gleich bei Ihnen.« Kane legte auf, schob das Glasplättchen mit dem Abstrich in einen Umschlag, klemmte das Buch unter den Arm und ging zum Lift.

Im Haus am See schlief fast alles. Nur Damien war noch wach. Er lag regungslos und starr im Bett, seine Augen starrten ins Leere. Sie schienen in ein anderes Reich zu blicken. Er konzentrierte sich so, daß Schweißtröpfchen auf seiner Stirn standen und sein Körper zu beben begann.

Dr. Kane trat in den Lift und drückte die Taste für das sechzehnte Stockwerk. Die Türen glitten zu, die Kabine setzte sich in Bewegung.

Nicht abwärts, sondern aufwärts.

Kane blickte auf den Etagenanzeiger: 21 ... 22 ... 23 ... Er drückte wieder auf 16. Der Lift hielt, die Türen gingen auf.

Da war niemand. Kane drückte ein drittesmal auf 16.

Die Türen gingen zu, und der Lift sank endlich hinab.

19 ... 18 ... 17 ...

Er fuhr im sechzehnten Stockwerk durch und wurde schneller.

Kane war entsetzt und verwirrt. Er warf Buch und Glasplättchen von sich und drückte hintereinander auf alle Knöpfe. Sie leuchteten allesamt auf. Der Lift beschleunigte und begann zu schwanken.

10 . . . 9 . . . 8 . . .

»Um Gottes willen!« schrie Kane auf und hämmerte auf der Steuertafel herum, betätigte alle Schalter, die er finden konnte.

5 . . . 4 . . . 3 . . .

Die Kabine kam plötzlich zum Stillstand, und Kane stürzte zu Boden. Er blieb liegen, horchte in die Totenstille hinein, wagte sich nicht zu bewegen, kaum zu atmen.

Langsam und vorsichtig drehte er sich um und setzte sich auf. Er konnte es nicht glauben. Er tastete sich überall ab, fand aber keine Verletzung – er war durchgeschüttelt, jedoch unbeschädigt. Das Glasplättchen war zersplittert, aber das störte ihn nicht. Er war froh, mit dem Leben davongekommen zu sein.

Hoch über ihm im Aufzugsschacht war durch das ruckartige Anhalten des Lifts ein Kabel gerissen und schnellte nun wie eine endlos lange, tödliche Peitschenschnur hinunter.

In diesem Augenblick hörte Kane das Geräusch, ein schrilles, durchdringendes, metallisches Sirren. Er schaute sich um, konnte aber nicht ausmachen, woher das Geräusch kam. Er sah nach oben – gerade im rechten Augenblick, um das Kabel das Dach der Kabine durchschlagen zu sehen, bevor es den Boden zerschnitt und Kane in zwei Hälften zerteilte.

Damiens Körper entspannte sich endlich; seine Augen schlossen sich, und er schlief mit einer Friedlichkeit, die er seit dem Beginn der unheimlichen Regungen in ihm am sechsten Tag im Juni nicht mehr gekannt hatte.

10

Richard und Ann lagen im Bett und lasen die Morgenzeitungen, die zusammen mit dem Frühstück heraufgebracht worden waren. Richard befaßte sich zuerst mit dem »Wall Street Journal«, während Ann die »Chicago Tribune« bevorzugte.

Als Ann ihre Zeitung aufschlug, stockte ihr der Atem.

»Richard! Schau!« sagte sie gepreßt und reichte ihm das Blatt.

Es war eine schreckliche Aufnahme des toten Dr. Kane, und der Artikel schilderte das Liftunglück vom vorigen Abend. Daneben stand ein kurzer Bericht über den Gasunfall in der Anlage des Thorn-Konzerns.

Thorn beschäftigte sich zunächst mit dem Artikel über den Unfall in seinem Werk.

»Wir waren erst gestern mit ihm zusammen«, sagte Ann und wickelte eine Haarsträhne um den Finger. »Wird dir dabei nicht seltsam zumute?«

»Hmmm –«

Ann trank einen Schluck Kaffee und sah Richard an. »Was für Untersuchungen wollte Doktor Kane anstellen?«

»Ich weiß nicht genau«, erwiderte Richard. »Ich bin mir nicht einmal sicher, ob er selbst –« Er unterbrach sich plötzlich. »Wo sind die Jungen?«

»Sie schlafen vermutlich noch. Warum?«

Richard legte die Zeitungen weg und starrte Ann an.

»Ich möchte nicht, daß sie davon erfahren.«

»Warum?« fragte Ann erstaunt. »Was hat der Arzt zu dir gesagt?«

»Damien scheint von dem Gas nicht betroffen gewesen zu sein.«

»Was ist daran so schlimm? Wir sollten alle froh sein . . .«

»Der Arzt war jedenfalls sehr beunruhigt«, meinte Richard. »Er sagte, er habe Damiens Untersuchungsergebnisse ein dutzendmal überprüft.«

»Und . . .?«

»Ich weiß nicht«, sagte Richard. »Es hing damit zusammen, daß seine Chromosomen anders geartet seien.«

»Anders geartet?« antwortete Ann. »Das ist doch absurd!«

»Das habe ich auch gesagt, aber Doktor Kane schien völlig aus der Fassung geraten zu sein.«

Ann schwieg einige Augenblicke.

»Was willst du unternehmen?« fragte sie schließlich.

»Gar nichts, wenn du es genau wissen willst.« Richard griff wieder nach der Zeitung. »Ich schlucke diese Art von genetischem Quatsch nicht. Damien ist völlig in Ordnung.«

Weshalb Damien an diesem Morgen mit einer schrecklichen Migräne erwachte, war allen ein Rätsel, auch ihm selbst.

Dr. Charles Warren war eben aus Akka zurückgekehrt, wo er die Verpackung und Verschiffung der letzten Objekte aus der Ausgrabungsstätte Belvoir überwacht hatte, die bei der Ausstellung im Thorn-Museum gezeigt werden sollten.

Durch einen dummen Zufall war es dazu gekommen, daß er Jigaels Mauer nicht gesehen hatte. Das unbezahlbare Werk war bereits vor seinem Eintreffen verpackt und verschifft worden. Warren war sehr enttäuscht; seitdem seine verstorbene Bekannte Joan Hart sich wegen der Mauer zu solchen Szenen hatte hinreißen lassen, war seine Neugier besonders groß gewesen. Und nun würde er warten müssen, bis das Werk in Chicago eingetroffen war, wenn er nicht vorher nach New York fahren wollte, wo das Schiff anlegen sollte.

Er war froh, wieder in den Staaten zu sein, und besonders froh, wieder in seinem Büro zu sitzen. Es lag im Keller, neben dem Kesselraum, und bot die Ruhe und Abgeschlossenheit, die er für seine Arbeit brauchte, vor allem an Abenden wie diesem, wenn das Museum geschlossen war und alle anderen Personen das Gebäude verlassen hatten.

Seine Räume waren ausgestattet mit allem, was man für die Pflege und Restauration alter Kunstgegenstände brauchte: besondere Klimageräte, Infrarot- und Ultraviolettlampen, tragbare Heizgeräte mit Spezialthermostaten, Chemikalien in Flaschen, Spezialpinsel und Streichmesser. Mit dieser Ausrüstung konnte Warren jahrhundertealte Fresken so wiederherstellen, daß sie aussahen wie neu, ohne am Original des Künstlers etwas zu verändern.

Im Augenblick ging Warren einige Dinge durch, die aus Akka gekommen waren. Er schob mehrere Bronzemesser und Tonscherben beiseite und zog einen uralten Lederkasten aus der Kiste. Das war eines der Objekte, um das er sich beim Verpacken besonders gekümmert hatte.

Er öffnete alle Ledergurte und schlug sie zurück, machte den Kasten auf, schaute hinein und schnupperte.

Er zog vorsichtig ein paar eng gewickelte Schriftrollen heraus. Er legte sie beiseite und griff wieder ins Innere. Diesmal zog er ein kleines Kruzifix heraus, an dem ein grausam gemarterter Christus hing. Warren starrte das Kreuz an. Er stellte es nach einer Weile weg und steckte die Hand erneut in den Kasten. Was sie nun zutage förderte, war ein großer, moderner Umschlag. Er schüttelte den Kopf, als er ihn auf den Tisch legte.

Im Kasten befand sich noch etwas.

Warren griff zum vierten- und letztenmal hinein und zog ein schweres Bündel heraus, das in alte, verwitterte Stoffetzen gewickelt war; es klirrte, als er es heraushob. Warren wickelte den Inhalt vorsichtig aus und sah sieben dünne Stilette, die überaus spitz und scharf und offenkundig sehr alt waren. Sie hatten Elfenbeingriffe, eingeschnitzt war Christus am Kreuz.

Warrens Neugier ließ sich nicht mehr bezähmen. Er griff nach dem großen Umschlag, schlitzte ihn auf und zog ein ziemlich dickes Bündel Papiere heraus. Faszinierend, dachte er, als er sich über die Blätter beugte. Die Handschrift schien von Bugenhagen zu stammen.

Warren begann zu lesen.

Da die Jungen noch Ferien hatten, konnten die Thorns einen der seltenen Familienabende genießen. Im Hobbyraum sahen sie sich einen besonders spannenden Wildwest-Film an.

Auf der Filmleinwand ging ein hochgewachsener Mann die staubige Straße einer Viehzüchterstadt entlang, die Hände locker an den Seiten hängend, Zentimeter von seinen Colts entfernt.

Er sah die Mündung der Winchester nicht, die durch einen Fensterspalt im Hotel geschoben wurde.

Die Winchester bellte, und der Mann brach zusammen, vervielfachte sich plötzlich, verschwamm und rutschte von der Leinwand an die Mauer.

»Erschießt den Vorführer!« rief Damien.

Mark steckte den Kopf aus der kleinen Öffnung in der Wand hinter Damien heraus und schrie: »Du mich auch!« Dann kümmerte er sich wieder um den Projektor.

Gewöhnlich bediente der Butler das Vorführgerät, wenn die Thorns sich im Heimkino Filme ansahen, aber Mark hatte so lange gebettelt, bis er in die Bedienung eingeweiht worden war. Zum Glück gelang es ihm, die Panne schnell zu beheben;

Dr. Charles Warren, der Direktor des Thorn-Museums (Nicholas Pryor), vor den geheimnisvollen Dolchen aus Akka.

der Held raffte sich vom Boden auf und fuhr herum – mit dem Revolver in der rechten Hand erledigte er den Mann mit der Büchse im Hotelfenster, während der Revolver in der Linken einen zweiten Heckenschützen auf der anderen Straßenseite niederstreckte. Der Held sprang von hinten auf sein Pferd und ritt unter allgemeinem Beifall in den Sonnenuntergang hinein.

»Na, endlich mal ein Happy-End«, sagte Ann, als Damien das Licht anknipste.

»Ich gebe die Note sechs«, sagte Damien.

Ann lächelte und schüttelte den Kopf.

»Du bist noch viel zu jung, um so zynisch zu sein.« Sie stand auf und blickte in die Runde. »Wer mag ein Brot mit Corned beef?«

»Ich!« Richard hob die Hand.

»Ich auch«, nickte Damien.

»Und Mark mag auch eines, das weiß ich«, sagte Ann und machte sich auf den Weg in die Küche.

Im Vorführraum spulte Mark den Film vorsichtig zurück, während Damien draußen die Leinwand einrollte und Richard das Backgammonbrett aufbaute.

Als es an der Tür läutete, sahen Richard und Damien einander fragend an.

»Ich gehe schon«, sagte Damien achselzuckend und schritt zur Tür.

Charles Warren stand durchfroren und schneebedeckt vor der Haustür. In den Händen hielt er den Umschlag mit Bugenhagens Niederschriften. Er zitterte, und das lag nicht allein an der Kälte. Er hatte etwas gelesen, das ihn zu Tode erschreckte.

Warren fiel beinahe in Ohnmacht, als die Tür aufging und

er Damien vor sich sah. Er versuchte zu lächeln, aber Damien spürte sofort, daß etwas nicht in Ordnung war, und wurde augenblicklich wachsam.

»Guten Abend, Doktor Warren«, sagte er knapp.

»Äh, guten Abend, Damien.« Warrens Stimme schwankte ein wenig. »Würdest du deinem Vater bitte sagen, daß ich ihn sprechen möchte?«

»Erwartet er Sie?« fragte Damien kühl.

»Sag ihm bitte, daß ich hier bin«, erwiderte Warren mit einiger Schärfe.

Damien zögerte einen Augenblick, dann sagte er: »Kommen Sie herein.«

Warren trat in die Diele, und Damien schloß die Tür.

»Ich sage ihm, daß Sie hier sind.«

Er ging zurück zum Hobbyraum. Warren schüttelte den Schnee von seiner Jacke und überlegte sich, wie er ausdrücken sollte, was er zu sagen hatte.

»Es ist Doktor Warren«, sagte Damien zu Richard. »Er möchte dich sprechen.«

»Charles?« rief Thorn erfreut und überrascht zugleich. »Fein! Schick ihn herein!«

Aber Warren hatte es nicht mehr ausgehalten und war hinter Damien schon zur Tür hereingekommen.

»Sag bitte deiner Mutter, sie soll für Doktor Warren noch ein Sandwich mehr machen«, wies Richard Damien an, der den Raum wortlos verließ und die Tür leise hinter sich zumachte.

Draußen in der Diele wurde Damiens Miene kalt und zornig. Er brauchte keinen Hinweis darauf, was Warren hier wollte, oder warum er ihn so angesehen hatte. Es gab auch nichts, was er dagegen tun konnte – im Augenblick, jedenfalls.

Er ging in die Küche, um das zusätzliche Sandwich zu bestellen.

Doktor Warren hatte sich gesetzt und sah zu, wie Richard zwei Gläser mit Kognak füllte. Er wußte nicht, wo er anfangen sollte.

Thorn dachte nicht mehr an Mark, der noch immer im Vorführraum stand und die letzte Spule des Wildwest-Films zurücklaufen ließ.

Warren ließ sich das Glas geben und trank einen so großen Schluck, daß Thorn ihn verblüfft ansah.

»Richard«, sagte Warren, den Blick auf den Boden gerichtet, »ich muß Sie etwas ganz Persönliches fragen.«

»Wir sind Freunde, Charles«, antwortete Thorn ruhig. »Nur zu.«

Warren atmete tief ein und stieß hervor: »Können Sir mir sagen, was mit Ihrem Bruder in London wirklich geschehen ist?«

Richard Thorns Stimme und Haltung verwandelten sich schlagartig. Er wurde kalt und starr.

»Warum fragen Sie?«

»Ich habe eben einen Kasten geöffnet, den ich in Akka gefunden habe. Er gehörte Bugenhagen und enthielt persönliche Besitztümer. Man fand ihn in der Nähe seiner Leiche.«

»Und?« sagte Thorn knapp.

Warren trank wieder einen Schluck Kognak.

»Wußten Sie, daß Bugenhagen es war, der Ihrem Bruder die Dolche gegeben hatte, damit er Damien töten sollte?«

Thorn fuhr herum.

»Wovon, zum Teufel, reden Sie?«

Mark trat im Vorführraum hinter ihnen an die Öffnung und lauschte aufmerksam.

»Vor sieben Jahren«, fuhr Warren fort, »hat Bugenhagen Ihnen einen Brief geschrieben –«

»Einen Brief? Mir?« Thorn begann hin und her zu gehen. »Ich habe nie einen Brief erhalten.«

»Er hat ihn gar nicht abgeschickt«, ergänzte Warren. »Er lag noch in dem Kasten . . .«

»Sie haben ihn gelesen?« unterbrach Thorn vorwurfsvoll.

»Richard«, sagte Warren beinahe flehend, »Sie kennen mich. Sie wissen, daß ich ein vernünftiger Mann bin. Aber was ich Ihnen jetzt sagen werde, klingt überhaupt nicht vernünftig.«

»Reden Sie schon, Warren, in Gottes Namen!«

»Bugenhagen behauptet, daß Damien . . .«, Warren schluckte krampfhaft, ». . . daß Damien . . . ein Werkzeug des Teufels sei. Der Antichrist!«

Thorn starrte Warren an wie einen Wahnsinnigen.

Mark hielt im Vorführraum den Atem an.

Warren sprach überstürzt weiter: »Er ist nicht menschlich, Richard. Ich weiß, es klingt verrückt, aber Bugenhagen behauptet, daß er von einem Schakal geboren worden sei.«

Thorn begann zu lachen.

»Und um mir das zu erzählen, sind Sie hergekommen?« Er schüttelte den Kopf und entfernte sich einige Schritte.

Warren leerte sein Glas und stellte es ab.

»Ihr Bruder ist dahintergekommen«, sagte er. »Er wandte sich an Bugenhagen, weil er verzweifelt war und Rat suchte. Bugenhagen erklärte ihm, wie er den Jungen töten sollte.«

Thorn knallte sein Glas auf den Tisch und drehte sich um.

»Mein Bruder war krank«, erklärte er eisig. »Geistig krank. Der Tod seiner Frau –«

»– wurde von Damien verursacht«, unterbrach ihn Warren. »Und andere Todesfälle auch . . . fünf ungeklärte Todesfälle.

Das gehört offenbar zu Prophezeiungen in der Offenbarung Johannis.« Warren wußte, daß er auf schwankendem Boden stand, aber er mußte weitersprechen, gleichgültig, wie zornig Thorn sein mochte. »Bugenhagen –«

»Der ganz offensichtlich übergeschnappt war«, fauchte Thorn.

Warren schüttelte verzweifelt den Kopf.

»Ich weiß, daß alles verrückt klingt . . .«, gab er zu.

»Aber Sie glauben es!« bellte Thorn.

Warren zog Bugenhagens Brief aus der Tasche und ließ ihn auf den Tisch fallen.

»Da ist der Brief«, sagte er. »Lesen Sie selbst.«

»Nein!«

»Wenn Bugenhagen recht hat, sind wir alle in Gefahr«, drängte Warren. »Sie, Ann, Mark – wir alle. Denken Sie daran, was mit Joan Hart geschehen ist – sie *wußte* alles.«

»Ich habe nicht die Absicht, die Ergüsse eines senilen Geisteskranken zu lesen«, erklärte Thorn kalt.

»Richard«, sagte Warren, »ich habe Bugenhagen gekannt. Er war nicht wahnsinnig und nicht senil. Regt sich denn gar kein Argwohn in Ihnen? Hat sich noch nichts Sonderbares ereignet, nichts –«

»Nein!« schrie Thorn.

Warren dachte schon, Thorn wolle zuschlagen, aber er ließ sich nicht abschrecken fortzufahren: »Nichts, was der Junge gesagt oder getan hat? Ist noch nichts passiert, was aus dem Rahmen fällt?«

»Ich möchte, daß Sie mein Haus verlassen, Charles.«

»Es hat auch unter uns schon Tote gegeben.«

»Sie sollen gehen!« schrie Thorn.

Aber Warren konnte nicht aufhören.

»Die Anzeichen sind zu deutlich, Richard«, sagte er. »Man

kann nicht mehr von Zufällen sprechen. Lesen Sie in der Bibel nach, in der Offenbarung, da steht alles. Wir müssen der Sache auf den Grund gehen.«

»Was meinen Sie?« fragte Thorn mit zusammengebissenen Zähnen.

»Jigaels Mauer«, sagte Warren schweratmend. »Bugenhagen schreibt in seinem Brief, daß die Mauer ihn endgültig überzeugt hat. Das Werk ist unterwegs nach New York. Es muß dort jeden Tag eintreffen.«

»Sie haben zu lange in der Vergangenheit herumgewühlt«, erklärte Thorn. »Sie sind ein religiöser Fanatiker geworden, wie Ihre Freundin Joan Hart. Ich will damit nichts zu tun haben. Sehen Sie sich das allein an!«

Warren starrte ihn lange an. Er hatte nicht erwartet, daß es leicht sein würde, aber mit diesem Ende hatte er auch nicht rechnen wollen. Er wußte, daß seine Verbindung zu Thorn bald beendet war, aber es blieb ihm keine andere Wahl, als ein letztes Wort zu sagen.

»Das werde ich tun«, verkündete er und ging. Er schloß die Tür lautlos hinter sich.

Thorn sank betäubt in seinen Sessel. Ein Teil der Dinge, die Warren vorgebracht hatte, mochte zutreffen, gewiß, und es war beunruhigend, daß er überhaupt zu diesen Erkenntnissen gelangt war, aber was den Rest anging . . .

Thorn schüttelte den Kopf. Er hatte das Gefühl, eben einen sehr guten Freund verloren zu haben, und konnte nicht einmal genau sagen, warum.

Im Vorführraum zitterte Mark am ganzen Leib. Er griff nach der Klappe für die Projektionsöffnung und schloß sie leise.

Damien stand in der Küche und half Ann, die Brote herzurichten. Sie hörten die Haustür zufallen, dann sprang ein Motor an, in der Einfahrt quietschten Reifen. Sie sahen einander an, dann fiel ihr Blick auf das zusätzlich belegte Brot.

»Na ja, dann muß ich eben zwei essen«, meinte Damien.

11

Damien schlief so ungestört, wie es bei einem dreizehnjährigen Jungen nur normal war.

Auch Ann schlief friedlich.

Nur Richard Thorn und Mark waren wach.

Es begann draußen die Morgendämmerung, und Thorn und sein Sohn waren noch immer wach.

Thorn sah müde und ausgelaugt aus. Er trug die Kleidung vom Abend zuvor. Er saß in seinem Arbeitszimmer am Schreibtisch, den Kopf auf die Hände gestützt, und überlegte verzweifelt, was er tun sollte. Vor ihm lagen die Blätter des Briefes, den Bugenhagen an ihn geschrieben hatte. Thorn hatte sie immer und immer wieder gelesen. Die Folgerungen waren zu ungeheuerlich, zu unglaublich, als daß er alles auf einmal hätte verdauen können. Er brauchte viel mehr Zeit zum Nachdenken.

Er sammelte die Seiten ein und sperrte sie in seinen Schreibtisch. Dann stand er auf und trat ans Fenster. Die Sonne ergoß ihr Licht über die fernen schneebedeckten Berge. Es kann nicht wahr sein, sagte er sich. Es gibt den Teufel nicht, außer in den Gehirnen der Menschen.

Dann drehte er sich um und ging hinauf, um wenigstens ein paar Stunden Schlaf zu finden.

Ohne Wissen Thorns war auch Mark die ganze Nacht auf gewesen. Er hatte so getan, als schlafe er ein, und als es im ganzen Haus still geworden war, hatte er das Bett verlassen und war in die Bibliothek hinuntergeschlichen. Er hatte die große Familienbibel aus dem Regal genommen und das Buch der Offenbarung gelesen.

Jetzt, als es draußen hell zu werden begann, beendete Mark seine Lektüre und begann zu weinen, teilweise vor Erschöpfung, teilweise, weil er mit dem furchtbaren Wissen in sich nicht fertig wurde.

Mark glaubte nun ohne den Schatten eines Zweifels, daß Damien wahrhaftig der Sohn des Teufels war.

Er dachte an Damiens sonderbares Verhalten in den vergangenen Monaten, an den verblüffenden Auftritt im Geschichtsunterricht, an seine einzigartigen sportlichen Fähigkeiten, an seine Fehlerlosigkeit auf vielen Gebieten.

Er erinnerte sich daran, daß Damien als einziger von den giftigen Gasdämpfen nicht beeinträchtigt worden war. Er dachte an Pasarian und Atherton und Tante Marion und an alle die anderen Menschen, die plötzlich und unerwartet gestorben waren.

Und schließlich dachte er an seinen Vetter, den er liebte, den er immer bewundert hatte. War es möglich, daß andere Leute – schreckliche, ekelhafte Leute – seinen Vetter ebenfalls anbeteten, aber auf ganz andere Weise?

Mark stand auf und stellte die Bibel an ihren Platz zurück. Er ging auf Zehenspitzen in die Diele, nahm seinen dicken Wintermantel vom Haken und zog ihn an. Dann schlüpfte er lautlos durch die Eingangstür hinaus. Er wollte eine Weile für sich sein, um nachdenken zu können, um sich zu überlegen, was er tun mußte ...

»Damien ist was?« sagte Ann und drehte sich am Herd um, wo sie Rühreier zubereitete. »Das kannst du doch nicht *glauben*, Richard –«

»Ich habe nicht gesagt, daß ich es glaube, Ann«, erwiderte Richard. Er stand unter der Tür und hatte Bugenhagens Brief in den Händen. »Ich gebe nur wieder, was Charles gesagt hat und was in diesem Brief steht.«

»Aber du überlegst dir, ob du nach New York fahren sollst, um Himmels willen!« Ann ging zum Schrank, um Teller zu holen. Sie konnte nicht fassen, daß sie dieses Gespräch führte. »Bedeutet das nicht –«

»Nein!« schrie Richard. Seine Müdigkeit trug dazu bei, daß er immer reizbarer wurde. »Es ist ekelhafter Unsinn, und natürlich glaube ich nicht daran. Aber Robert ist in einer Kirche bei dem Versuch erschossen worden, Damien zu erstechen, und –«

»Warren hat Eindruck auf dich gemacht, nicht wahr?« Ann stellte die Teller auf den Tisch. »Er hat seine Verrücktheit auf dich übertragen.« Sie trat auf ihn zu, nahm ihm Bugenhagens Brief aus der Hand, legte die Blätter auf die Anrichte und ergriff seine beiden Hände. »Ich lasse nicht zu, daß du davon angesteckt wirst«, sagte sie entschieden. »Du bist müde und kannst nicht klar denken. Du fährst nirgendwo hin. Du vergißt, daß du mit einem –«

»Ann –«

»Nein. Es ist vorbei. Du hast eine dumme, ekelhafte Geschichte gehört, und es ist vorbei.« Sie brach plötzlich in Tränen aus. »Oh, Richard!« rief sie. »Was ist nur mit uns? Sind wir alle verrückt geworden?«

Richard nahm sie in die Arme und preßte sie an sich.

»Wein nicht«, sagte er. »Du hast recht. Ich bin müde und überarbeitet. Es tut mir leid, wirklich so leid –«

»O Gott, bitte«, murmelte Ann und vergrub ihr Gesicht an seiner Schulter.

»Schon gut . . . schon gut. Ich fahre nirgendwo hin.«

»Und Damien – du siehst ihn nicht mit anderen Augen, wirst ihn nicht anders behandeln als –«

»Nein, nein, natürlich nicht.«

»Versprich es mir.«

»Ich verspreche es.«

Während Richard seine Frau an sich preßte, sie in seinen Armen leise hin und her wiegte und sich fragte, warum er sich so hatte hinreißen lassen, schaute er zum Küchenfenster hinaus und sah Damien hinter dem Haus über den Rasen zum Wald gehen. Der Anblick löste ein Alarmsignal in ihm aus.

»Wo ist Mark?« fragte er plötzlich.

»Er muß wohl schon sehr früh hinausgegangen sein«, erwiderte Ann, löste sich aus seinen Armen und wischte sich die Augen trocken. »Mir ist aufgefallen, daß sein Mantel nicht am Haken hing, als ich die Zeitungen holte.«

»Warum gehen wir nicht auch spazieren?« schlug Richard vor.

»Aber die Eier –« Die Rühreier begannen anzubrennen, und sie stürzte zum Herd, um die Pfanne wegzuziehen.

»Ich könnte wirklich frische Luft vertragen.«

Ann starrte ihren Mann an. In ihrem Haus, in ihrer Familie ging etwas vor, das ihr Rätsel aufgab. Sie hatte bei der Heirat gewußt, daß es nicht einfach sein würde, aber sie hatte diesen Mann so geliebt, daß sie geglaubt hatte, mit allen Krisen und Schwierigkeiten fertig werden zu können. Nun war sie ihrer Sache nicht mehr so sicher.

Sie zuckte die Achseln und stellte die Pfanne weg.

»Also gut«, sagte sie. »Gehen wir spazieren.«

Mark saß an einem Baum, weit vom Haus entfernt. Sein Gesicht war aschfahl und verzerrt. Seine Augen waren von dumpfer Angst erfüllt, und er wirkte erschöpft und ausgelaugt. Er hatte die Arme um die Knie geschlungen, nicht, weil ihn fror, sondern weil er sich vor Angst hätte verkriechen mögen.

Er wußte nicht, an wen er sich wenden sollte, um Trost zu finden. Bis heute war er mit seinen ganzen Sorgen zu Damien gegangen, aber das konnte er nun nicht mehr tun. Er würde allein damit zurechtkommen müssen.

Mark hörte plötzlich Schritte, und eine Stimme rief: »Mark? He, Mark!«

Es war Damien, natürlich. Immer Damien.

Mark stand hastig auf und huschte tiefer in den Wald.

Damien folgte seinen Spuren.

Mark begann zu laufen.

»He, *Mark!*«

Mark rannte weiter, aber er wußte, daß er nicht weit kommen konnte. Er hatte die ganze Nacht nicht geschlafen; er war todmüde und vor Angst halb gelähmt. Er erreichte einen dikken, hohen Baum und versteckte sich keuchend hinter dem Stamm.

Nach einigen Minuten hörte er Damiens Stimme erneut, ganz in der Nähe, auf der anderen Seite des Baumes.

»Ich weiß, daß du da bist«, sagte Damien.

Mark begann zu zittern.

»Laß mich in Ruhe!« stieß er hervor.

Damien lief um den Baum herum und blieb zwei Meter vor Mark stehen.

»Warum läufst du vor mir davon?« fragte er betroffen.

Es blieb lange Zeit still, bis Mark schließlich mit dumpfer Stimme sagte: »Ich weiß . . . wer du bist.«

Damien lächelte.

»Wirklich?«

Mark nickte.

»Doktor Warren weiß es«, sagte er stockend. »Ich habe ihn mit Papa sprechen hören.«

Damiens Gesicht verfinsterte sich.

»Was hat er gesagt?«

»Er hat gesagt – er hat gesagt, daß der Teufel auf Erden sein Ebenbild schaffen kann.«

»Und weiter?«

Mark wandte sich ab. Eine Träne lief über sein Gesicht.

»Sprich es aus, Mark«, sagte Damien leise.

Mark schluckte.

»Er hat gesagt . . . du wärst ein Sohn des Teufels.«

In einem anderen Teil des Waldes gingen Richard und Ann stumm nebeneinander her. Aus der Ferne hätte man meinen mögen, ein Liebespaar mache einen Morgenspaziergang, nachdem es eine leidenschaftliche Nacht verbracht hatte.

Aber der Mann, der durch den Wald stapfte, hatte rotgeränderte Augen und sah erschöpft aus. Er schaute sich immer wieder um und schien etwas zu suchen . . .

Damien starrte Mark unverwandt an.

»Weiter!« sagte er.

»Ich habe gesehen, was du damals mit Teddy gemacht hast«, sprudelte es plötzlich aus Mark heraus, »und gehört, was im Unterricht passiert ist, und ich habe gesehen, was mit Atherton und Pasarian geschah! Dein Vater hat versucht, dich umzubringen!« rief er. »Es heißt, er sei verrückt gewesen, aber das stimmt gar nicht. Er wußte Bescheid!« Mark fiel auf die Knie.

Damien war verstört. Er wollte Mark nichts tun.

»Mark –«, sagte er.

»Nei-iin . . .!« schrie Mark auf.

»Du bist mein Bruder. Ich liebe dich –«

»Nenn mich nicht deinen Bruder!« schrie Mark. »Der Antichrist hat keinen Bruder!«

Damien packte Mark an den Schultern.

»Hör mir zu!« rief er.

Mark schüttelte wild den Kopf.

»Gib es zu«, stieß er hervor, »du hast deine eigene Mutter umgebracht!«

Das gab den Ausschlag. Das Band zerriß.

»Sie *war* nicht meine Mutter!« brüllte Damien. »Meine Mutter –«

»– war eine *Schakalin!*«

»Jawohl!« rief Damien, und seine Stimme hallte durch den Wald. Seine Augen loderten, sein Gesicht nahm ein Leuchten an, das nichts Menschliches mehr an sich hatte. »Ich bin als Ebenbild der größten Macht der Welt geboren«, sagte er heftig. »Der Verstoßene!« schrie er. »Verstoßen, als man ihm seine Größe nahm und ihn stürzte! Aber in mir ist er auferstanden! Er blickt durch meine Augen und kleidet sich mit meinem Körper!«

Mark schaute sich verzweifelt um. Er spürte keine Angst mehr, er war wie gelähmt, kaum fähig, sich zu bewegen. Es war wie ein grauenhafter Traum, ein Alptraum ohne Ende, dem er nicht zu entfliehen vermochte.

»Komm mit mir«, sagte Damien. »Ich kann dich mit mir nehmen.«

Mark hob den Kopf. Sein Zittern legte sich, und er starrte seinen Vetter lange an, dann schüttelte er ganz langsam den Kopf und sagte: »Nein.«

»Zwing mich nicht, dich anzuflehen«, erwiderte Damien.

»Nein.« Mark blieb unerbittlich. Er sprang hoch und begann zu laufen, so schnell seine müden Beine ihn trugen.

»Mark!« schrie Damien.

Aber Mark lief weiter.

»Weg von mir!« brüllte er.

»MARK!« schrie Damien mit einer Stimme, die Mark nur einmal so gehört hatte, im Korridor vor Neffs Zimmer, als Teddy die Zielscheibe gewesen war. *»Sieh mich an!«* befahl er.

Mark blieb wie angewurzelt stehen. Er vermochte sich nicht mehr zu bewegen. »Bitte, geh fort«, flehte er.

Aber Damiens Stimme bannte ihn fest.

»Ich bitte dich noch einmal«, sagte er ruhig. »Bitte. Komm mit mir. Halte zu mir.«

Mark drehte sich langsam um und starrte ihm ins Gesicht.

»Nein«, sagte er, plötzlich ganz gefaßt. »Du kannst deiner Bestimmung nicht entgehen, Damien. Und ich nicht der meinen.« Eine andere Macht sprach aus ihm. »Du mußt tun, was du tun mußt.« Er blieb stehen, wo er war, und wartete.

In Damien flutete Wut empor, Wut, geboren aus Zurückweisung, und seine Augen begannen zu glühen; er schien plötzlich riesengroß zu werden, sich immer höher aufzurichten. In seinen Augen quollen Tränen, und er blickte zum Himmel hinauf und begann zu beben . . .

Richard und Ann hatten die Fußspuren der Jungen im Schnee entdeckt und folgten ihnen. Ann wirkte völlig ruhig, als sie neben ihrem Mann herging und ihn ab und zu leicht berührte, aber Richard blickte immer wieder auf, als spüre er etwas Dunkles, Bedrohliches in der Luft . . .

Plötzlich hörte Mark das Geräusch, dasselbe Geräusch, das Teddy an jenem Tag im Flur vor Sergeant Neffs Dienstzimmer gehört hatte.

Ein Flattern und Schlagen, als klappere man mit Metalllinealen.

Der Schlag von Rabenschwingen.

Mark riß die Arme hoch, um seinen Kopf vor dem Unsichtbaren zu schützen, das ihn angriff. Er kreischte, er schluchzte, er versuchte zu entkommen, aber der furchtbare Schnabel und die Klauen des unsichtbaren Vogels hackten auf seinen Kopf ein, bis ihm das Blut aus Nase, Augen und Ohren rann. Er stürzte in seiner Qual auf die Knie und schrie sein Leid hinaus, aber durch den blutigen Schleier vor seinen Augen sah er nur Damien als Ebenbild des Bösen: hoch aufgerichtet, unbarmherzig, umstrahlt von der aufgehenden Sonne – kalt und unerbittlich.

Dann schien der Schnabel des Vogels Marks Schädel zu durchbohren und in sein Gehirn zu dringen. Der Junge stürzte vornüber in den Schnee, das Gesicht blutüberströmt, die Augen verdreht.

Das Schwirren wurde leiser. Damien blickte hinunter und stieß einen klagenden, trostlosen Schrei aus, als er die Leiche Marks im Schnee liegen sah, der sich langsam rot färbte. Er stürzte auf Mark zu, fiel auf die Knie, riß den schmächtigen, leblosen Körper hoch und versuchte ihn wieder zum Leben zu erwecken.

Damiens qualvoller Schrei erreichte Ann und Richard. Als sie herbeistürzten, sahen sie Damien über den schlaffen Leib seines Vetters gebeugt und hörten ihn stöhnen: »Mark, o Mark –«

Als Ann aufschrie, hob Damien den Kopf und zuckte zurück.

»Wir sind spazierengegangen«, sagte er, »und auf einmal stürzte er hin. Er –«

»Geh zurück ins Haus!« zischte Richard. Er lief auf Ann zu, die neben dem toten Jungen kniete.

»Ich habe doch gar nichts getan!« rief Damien.

»Geh zurück ins Haus und *sei verdammt!*« stieß Richard in höchster Erregung hervor.

Damien drehte sich um und lief zum Haus zurück, während ihm die Tränen über das Gesicht rannen.

»Er ist hingefallen!« schrie er. »Ich habe nichts getan!« Aber er lief weiter.

Richard wandte sich von der flüchtenden Gestalt ab und beugte sich über Ann. Er ergriff sie bei den Schultern und richtete sie sanft auf.

Als er sah, daß sie aus eigener Kraft stehen konnte, bückte er sich und nahm die Leiche seines Sohnes auf die Arme.

Er drehte sich mit seiner Bürde um und sah Ann an. Sein Blick war eine einzige Anklage.

Ann schüttelte den Kopf und stammelte: »Das war nicht Damien. Das war nicht –«

Sie konnte den Satz nicht zu Ende sprechen. Richard drehte ihr den Rücken zu und ging davon, sein Gesicht an das blutige Antlitz seines Sohnes pressend.

Richard und Ann kommen zu spät, um Mark (Lucas Donat) zu retten,
der von Damien auf rätselhafte Weise getötet wird.

12

Die letzte Ruhestätte der Thorns befand sich am North Shore, nicht weit von ihrem Besitz entfernt. Reginald Thorn lag dort neben seiner Frau begraben. Richards erste Frau hatte dort ihre Ruhe gefunden, und auch Tante Marion war hier beigesetzt worden.

Man begrub Mark neben seiner Mutter.

Und eines Tage werde auch ich hier liegen, dachte Richard Thorn, als er im leichten Schneeregen auf das offene Grab blickte.

Richard und Ann trugen Schwarz, Damien, der neben Ann stand, war in seine Ausgehuniform gekleidet; er hatte eine schwarze Armbinde am linken Ärmel.

Paul Buher war als Vorstandsvertreter des Konzerns erschienen, und Sergeant Neff stand an der Spitze einer kleinen Ehrenwache der Militärschule. Als der Sarg hinabgesenkt wurde, legten die Kadetten die Hände an die Mützen, und einer ihrer Kameraden trat vor und blies den Zapfenstreich.

Ann begann lautlos zu weinen. Richards starres Gesicht veränderte sich nicht, aber zum erstenmal seit dem Tod seines Sohnes liefen auch ihm die Tränen herunter.

Als der Pfarrer zu beten begann, drehte Richard den Kopf zur Seite. Er wollte nicht hören, was der Mann zu sagen hatte; was wußte er schon von Mark.

Sein Blick fiel auf Damien und blieb an ihm haften. Der Junge sah zu Neff hinüber, der seinerseits Buher anstarrte, und dieser konzentrierte sich ganz auf Damien.

Bevor Thorn darüber nachdenken konnte, wurde er am Ärmel gezupft; Ann sah ihn flehend an. Ihre Augen verlangten, daß er der Zeremonie wenigstens äußerliche Aufmerksamkeit schenken sollte.

Richard streichelte ihre Hand und wandte sich wieder dem Grab zu, aber seine Gedanken irrten nach wenigen Augenblicken erneut ab.

Er dachte an das Gespräch in Dr. Fiedlers Büro nach der Obduktion.

»Wie kann das geschehen sein?« hatte er den Arzt gefragt. »Sie kannten ihn seit seiner Geburt. Es muß doch irgendeinen Hinweis gegeben haben.«

Der Arzt hatte traurig den Kopf geschüttelt.

»Ich habe so etwas leider schon öfter erlebt«, hatte er gesagt. »Ein völlig normaler Junge oder erwachsener Mann – in jeder Beziehung kerngesund, allem Anschein nach, und im Gehirn wartet irgend etwas auf eine starke Belastung – eine dünne Arterienwand. Die Arterie platzt –« Er hatte hilflos die Hände ausgebreitet.

»Dann kann das etwas gewesen sein, was er schon von Geburt an hatte?« war Anns Einwurf gewesen.

Dr. Fiedler hatte genickt.

»Durchaus möglich. Es tut mir leid. Ich bin selbst fassungslos.«

Aber nicht so fassungslos wie ich, hatte Richard gedacht.

Die Beerdigung war vorbei, und die Trauernden entfernten sich vom Grab. Es hatte stark zu regnen begonnen, und man beeilte sich, die Beileidsfloskeln auszusprechen und zu den Autos zu gelangen.

Richard blieb, bis jeder mit einem Händedruck abgefertigt war, dann stieg er zu Ann und Damien in die Limousine und gab Murray ein Zeichen.

Der Wagen fuhr langsam an.

In der Woche danach wurde spät abends bei Thorn aus New York angerufen. Der Anruf kam von einem Geistlichen; er bat Richard dringend, sofort zu kommen, Dr. Charles Warren sei in sehr schlechter Verfassung und habe wiederholt nach Thorn verlangt.

Richard warf ein paar Sachen in einen Koffer, obwohl Ann ihn gebeten hatte, erst am nächsten Morgen zu fahren.

»Ich *will* ja nicht gehen!« sagte er scharf. »Ich *muß!*«

Ann setzte sich im Bett auf und griff nach einer Zigarette. Ihre Hände zitterten.

»Warum kannst du mit Charles nicht am Telefon sprechen?« fragte sie. »Warum mußt du persönlich nach New York? Ein so guter Freund ist Charles Warren in letzter Zeit der Familie nicht gewesen.«

»Es geht ihm sehr schlecht, und er braucht mich«, antwortete Thorn.

»Wir brauchen dich auch«, erklärte Ann.

Richard sah sie an.

»Ich komme zurück, so schnell es geht.«

Er bückte sich und küßte sie auf die Wange, dann ging er zur Tür.

»Was soll ich Damien morgen früh sagen?« fragte sie.

Richard zögerte an der Tür. Daran hatte er nicht gedacht.

»Sag ihm, daß ich Charles bei Zollproblemen in New York helfen mußte«, erwiderte er schließlich. »Sag ihm, was du willst, nur nicht die Wahrheit.« Er ging hinaus und schloß die Tür hinter sich.

Als er die Treppe hinunterschritt, um in den Wagen zu steigen, dessen Tür Murray offenhielt, bemerkte er nicht, daß die Tür zu Damiens Zimmer sich einen Spalt öffnete und verengte Augen ihm nachblickten.

Als Richard sich angeschnallt hatte und die Maschine auf dem Flughafen Meigs abhob, knipste er die Lampe an und zog Bugenhagens Brief aus seiner Tasche. Es gab so vieles, worüber er nachdenken mußte, und er wurde das Gefühl nicht los, daß die Zeit knapp wurde. Er schaute auf die Uhr. Halb sechs. Spätestens um acht Uhr konnte er in New York sein.

Er richtete den Blick auf das Blatt in seinen Händen und begann zum fünften- oder sechstenmal zu lesen: »Und es ward ihm gegeben, daß er dem Bilde des Tieres den Geist gab, daß des Tieres Bild redete und machte, daß, welche nicht des Tieres Bild anbeteten, ertötet würden.«

Thorn fröstelte. In den letzten Monaten waren zu viele Menschen ums Leben gekommen – zu viele, als daß man noch von Zufällen hätte sprechen können. Die Bruchstücke fügten sich endlich zusammen.

Zuerst Tante Marion. Ihre Stimme hallte in seiner Erinnerung wider. *Damien übt einen schrecklichen Einfluß aus, nicht wahr? Willst du Mark ruinieren, ihn vernichten?*

Dann die Journalistin Joan Hart. Den Zeitungsberichten zufolge war sie einen gräßlichen Tod gestorben. *Sie schweben in höchster Gefahr! Vertrauen Sie auf Christus!*

Und Atherton. Aber wie paßte er in die Reihe? Pasarian. Was hatte er mit dem Ganzen zu tun?

Thorn las weiter: »Und die Kaufleute auf Erden sind reich geworden von ihrer Wollust . . .«

Thorn dachte an sein Unternehmen, eine der größten Multigesellschaften der Welt, und daß Damien es eines Tages erben würde. Der Sinn begann sich immer klarer herauszuschälen. Atherton hatte Buhers Pläne durchkreuzen wollen und war gestorben. Buher war Chef geworden, und die Pläne wurden in die Tat umgesetzt. Aber nicht ohne Widrigkeiten. Pasarian hatte die Hintergründe durchleuchtet und war gestorben. Eines Tages, wenn alles nach Plan verlief, würde Damien einen Giganten erben, der die Ernährung der gesamten Weltbevölkerung kontrollierte.

Thorn erinnerte sich an die seltsame Dreiecksbeziehung, die ihm am Grab aufgefallen war. Damien, Buher und Neff. Aber welche Rolle spielte Neff? Thorn blätterte in Bugenhagens Brief, um einen Hinweis zu finden.

»Und der ganze Erdboden verwunderte sich des Tieres. Und beteten den Drachen an, der dem Tier die Macht gab, und beteten das Tier an und sprachen: Wer ist dem Tier gleich? Und wer kann mit ihm kriegen?«

Der Drache.

Neff als der Drache, als Militärstratege, da, um zu lehren und auszubilden . . .

»Und ihm ward gegeben, zu streiten mit den Heiligen *und sie zu überwinden*; und ihm ward gegeben Macht über alle Geschlechter und Sprachen und Nationen . . . Und er soll aufstehen gegen den Fürst der Fürsten . . .«

Thorn konnte nicht mehr weiterlesen. Seine Augen schmerzten, seine Gedanken wurden immer verworrener. Er brauchte Ruhe, wenigstens ein paar Stunden Schlaf.

Ihn bedrängte, was Warren an dem Abend der Diavorführung gesagt hatte, von Hinweisen auf das nahe Ende der Welt. Ann hatte gelacht, aber Warren hatte auf einige biblische Prophezeiungen verwiesen, die sich zu erfüllen schienen – alle auf einmal.

Thorn dachte an die alarmierenden Weltereignisse der letzten Zeit. Die Lage im Nahen Osten konnte noch immer zu einem Krieg führen, aus dem sich der Weltenbrand entwickeln mochte, der 3. Weltkrieg, falls danach noch jemand da war, der ihn so zu nennen vermochte.

Die Verbreitung der Atomwaffen hatte beängstigende

Ausmaße angenommen. Es bedurfte vielleicht nur irgendeines fanatischen Terroristen irgendwo auf der Welt, der eine solche Bombe zündete – eine unausweichliche, unwiderrufliche Kettenreaktion auslösend, die das Ende der Menschheit zum Resultat haben konnte.

New York war nicht die einzige Stadt gewesen, die von einem totalen Stromausfall getroffen gewesen war. In London, Paris, Moskau, Tokio hatte sich Ähnliches abgespielt. Man vermutete in allen Fällen Sabotage, aber es gab keinerlei Hinweise auf die möglichen Täter. Und Plünderung, Mord und Totschlag steigerten sich jedesmal zu einem Inferno. Keine dieser Großstädte schien noch regierbar zu sein.

Überall schienen die Menschen sich in Maschinen zu verwandeln, ohne Gefühl, ohne Barmherzigkeit. Alle liefen in einer Tretmühle, zu schnell und zu überstürzt, um noch nachdenken zu können, von so vielen Enttäuschungen und Widrigkeiten heimgesucht, einem solchen Maß an Gewalt unterworfen, daß jeder sich vom anderen zu isolieren versuchte.

Selbst das Wetter schien im großen Maßstab auf unerklärliche Weise zur Wirrnis beizutragen. Es schneite, wo nie zuvor Schnee gefallen war, es herrschte Dürre, wo es stets geregnet hatte, es gab Überschwemmungen dort, wo Wasser nie zu finden gewesen war. Orkane, Tornados und Erdbeben schienen die Erde verwüsten zu wollen, häufiger denn je zuvor. Es war schwer zu sagen, ob es wirklich mehr Katastrophen gab, oder ob der Mensch nur mehr darüber erfuhr, weil aus jedem Winkel der Erde berichtet werden konnte. Die Wirkung blieb sich gleich. Es sah so aus, als häuften sich die schrecklichen Ereignisse.

Thorn vermochte sich nicht mehr zu konzentrieren. Er schloß die Augen und fiel in einen unruhigen Schlaf.

13

Es war hell geworden, als die Düsenmaschine auf dem La-Guardia-Flughafen ausrollte. Thorn reckte sich, gähnte und schaute auf die Uhr. 7.45 Uhr.

Er kam sich plötzlich vor wie ein Narr. Er konnte nicht glauben, daß er wegen eines Telefonanrufs mitten in der Nacht eine so weite Strecke zurückgelegt hatte. Bei der letzten Begegnung mit Warren waren sie im Streit voneinander geschieden, und Thorn hatte damit gerechnet, daß sie einander nie mehr sachlich gegenübertreten konnten.

Aber was Warren ihm an jenem Abend klarzumachen versucht hatte, war nun eine ernstzunehmende Möglichkeit geworden. Thorn spürte den Zwang, der Sache auf den Grund zu gehen. Er war überzeugt davon, daß Warren Jigaels Mauer gesehen hatte, daß es das war, was er meinte.

Es beunruhigte ihn, daß ein Geistlicher angerufen hatte, nicht Warren selbst. Vielleicht versuchte Warren sich auf diese Weise zu schützen.

Thorn ging durch das Flughafengebäude und winkte einem Taxi. Er nannte die Adresse, die der Pfarrer ihm gegeben hatte. Der Fahrer sah Thorn schief an, zuckte die Achseln und fuhr an.

Unterwegs dachte Thorn an ein Gespräch, das er einmal mit seinem Bruder Robert geführt hatte. Es war um politische Dinge gegangen, und Robert hatte ihn mit einem Zitat von Lenin bezwungen. Auch in Richards Gehirn tauchte das Zitat wieder auf: Wem nützt es?

Thorn wandte die Formel auf alles an, was er in der vergangenen Nacht durchdacht hatte. Es war schwer, ein klares Bild zu gewinnen, aber die Antwort lautete immer wieder: Alles nützte Damien Thorn.

Nun standen nur noch zwei Menschen zwischen Damien Thorn und der alleinigen Verfügungsgewalt über das mächtigste Unternehmen der Welt: Richard Thorn und seine Frau.

Und Thorn begriff, warum Warren ihn sprechen wollte. Warren würde ihn drängen, den Sohn seines Bruders zu töten.

Genau wie damals bei Bugenhagen und Robert. Sie hatten es vor sieben Jahren versucht und mit ihrem Leben bezahlt.

Ich lasse mich hinreißen, dachte Thorn. Ich muß ruhig bleiben. Ich muß vernünftig bleiben. Es steht zuviel auf dem Spiel.

Der Fahrer hatte angehalten und schaute sich ungeduldig nach Thorn um, der in die Brieftasche griff und ihm Geld gab. Er bat den Fahrer zu warten.

Er stieg aus und schaute sich um. Er stand vor einer alten, halb verfallenen Kirche am Rand eines Güterbahnhofs. Die Kirche schien verlassen zu sein. Thorn ging darauf zu und drückte die Tür auf. Er schaute sich noch einmal nach dem Taxi um. Der Fahrer hatte die Mütze in die Stirn gezogen und schien zu dösen. Thorn betrat das Gebäude.

Die Kirche war alt und ungepflegt. Es roch muffig. Die Holzbänke waren abgenützt und wacklig. Die bemalten Fenster waren blind vor Schmutz. Thorn schüttelte den Kopf.

Er ging auf den Altar zu. Als er die Chorschranken erreichte, öffnete sich an der linken Seite eine Tür, und ein kleiner Geistlicher mit gekrümmtem Rücken trat heraus.

»Mr. Thorn?«

Richard nickte.

Der Priester hinkte auf ihn zu und streckte ihm die Hand entgegen.

»Ich bin Pater Weston. Vielen Dank für Ihr Kommen.« Er

drückte Thorn die Hand. »Doktor Warren erwartet Sie.« Er
wies auf eine Seitentür und hinkte auf sie zu.

Richard folgte ihm.

»Vielen Dank für Ihren Anruf«, flüsterte er. »Was ist mit
Doktor Warren?«

Der Priester schüttelte den Kopf.

»Mit mir will er nicht reden«, sagte er. »Ich weiß nur, daß
er vor Angst halbtot ist.«

Sie erreichten die Tür, und der Geistliche klopfte leise.

»Wer ist da?« fragte eine heisere Stimme.

»Mr. Thorn ist hier«, antwortete der Pfarrer.

Die Tür ging auf, und da stand Warren. Er sah aus, als hätte
ihn eine furchtbare Krankheit befallen. Seine Augen waren
blutunterlaufen, sein Gesicht wirkte eingefallen; er war unrasiert und gelblich-fahl. Er hielt ein Kruzifix in den zitternden
Händen.

»Richard?« sagte er mit erstickter Stimme.

»Ich bin es, Charles.«

Warren packte Thorn am Mantel, zerrte ihn ins Zimmer,
schloß die Tür und sperrte sie ab.

Thorn starrte Warren an, überzeugt davon, einen Wahnsinnigen vor sich zu haben.

»Charles«, sagte er beruhigend, »ich bin sofort gekommen –«

Warren schien ihn nicht zu hören. Seine weit aufgerissenen
Augen sahen Dinge, die Thorn verborgen blieben.

»Das Tier ist unter uns«, flüsterte er. »Es ist wahr, es ist alles
wahr. Ich habe die Mauer gesehen –«

»Charles, bitte, hören Sie mich an –«

»Ich habe sie gesehen. Es ist entsetzlich.« Er schloß die
Augen. »Das hat Joan Hart das Leben gekostet, und Bugenhagen –«

Thorn griff nach Warrens Schulter.

»Nehmen Sie sich zusammen!« Er konnte nicht glauben, daß das der Mann war, der so viele Jahre lang sein Museum geleitet hatte, der ein so zuverlässiger Freund gewesen war. Wenn es wirklich einen Gott gab, machte er es seinen Gläubigen nicht leicht.

Warren wurde ruhiger und starrte Thorn an.

»Glauben Sie mir jetzt, Richard?« fragte er. »Oder halten Sie mich immer noch für verrückt?«

Richard hielt Warren fest. Er wollte nicht zugeben, daß er glaubte, noch nicht. Einer von ihnen mußte ruhig und vernünftig bleiben. Aber eines mußte noch geschehen. Thorn mußte Jigaels Mauer sehen.

»Wo ist sie?« fragte er. »Wo ist Jigaels Mauer?«

Sie gingen an den Gleisen entlang, vorbei an einer Reihe von Güterwaggons, manche mit dem Signum des Konzerns. Warren umklammerte noch immer sein Kruzifix und wurde mit jedem Schritt unruhiger. Ab und zu blieb er stehen und schaute zum Himmel hinauf.

»Was suchen Sie denn?« fragte Thorn.

Warrens Erregung steigerte sich immer mehr. Er konnte kaum noch klar sprechen.

Er lallte vor sich hin: ». . . noch nicht da . . . nichts . . . bald . . .«

Sie erreichten ein Nebengleis, wo ein einzelner Containerwaggon des Konzerns stand, fast am Ende der Schienen, vor dem Prellbock. Warren machte sich am Schloß zu schaffen, dann winkte er Thorn.

»Kommen Sie nicht mit?« fragte Thorn.

Warren schüttelte den Kopf und blickte wieder zum Himmel hinauf. Er erstarrte plötzlich.

Thorn folgte seinem Blick. Über ihnen, keine zehn Meter hoch, kreiste ein riesiger schwarzer Rabe. Richard sah zu Warren hinüber, der am Waggon kauerte, das Kruzifix an die Brust gepreßt.

»Kommen Sie doch, Charles«, sagte er. »Das ist nur ein Vogel.«

Warren schüttelte den Kopf, den Blick unverwandt auf den Raben gerichtet. Er rührte sich nicht vom Fleck.

Thorn atmete tief ein und stieg allein in den Containerwaggon.

Er war vollgefüllt mit Kisten in allen Größen, die säuberlich übereinander gestapelt waren – bis auf eine, die in offenbar wilder Hast aufgebrochen worden zu sein schien. Thorn ging darauf zu.

Inzwischen wurde in einem anderen Teil des Verschiebebahnhofs eine lange Reihe von Güterwaggons zurückrangiert. Die schweren Wagen prallten aneinander und setzten sich in Bewegung, auf den Containerwaggon zu.

Warren kauerte vor dem Waggon und schloß die Augen, um zu beten. Auf dem Nebengleis donnerte plötzlich ein Schnellzug vorbei. Warren verlor das Gleichgewicht und stürzte zu Boden. Er raffte sich auf und ging zur Vorderseite des Waggons, an die er sich anlehnte. Er wartete.

Inzwischen hatte Thorn in die Kiste hineingegriffen und das Verpackungsmaterial auseinandergeschoben, bis er ein Stück der abgetragenen Mauer sehen konnte. Die Farben waren verblaßt, der Stein verwittert. Thorns Blick fiel auf das Bild eines kleinen Kindes, aber das Gesicht war zu undeutlich, als daß man es hätte erkennen können. Thorn riß die Verpackung weiter auseinander.

Draußen wurde der Güterzug schneller. Die Waggons rumpelten dahin, voran ein Wagen mit großen, rostbedeckten

Puffern. Die Waggons erreichten eine Weiche, die plötzlich, wie von selbst, umsprang, und die Waggons rollten auf das Gleis, auf dem der Containerwagen stand.

Warren schloß wieder die Augen und bewegte murmelnd die Lippen. Der Rabe kreiste unablässig am Himmel und schien immer schneller zu flattern.

Im Inneren des Waggons riß Thorn Packmaterial auseinander und sah ein Gemälde Satans in seiner Reife, an die Wand eines Abgrunds geklammert. Auch dieses Gesicht war kaum zu erkennen.

Bin ich auch wahnsinnig geworden? dachte Thorn. Hier ist nichts zu sehen.

Aber er war entschlossen, nicht aufzugeben, sich nur auf seine eigenen Sinne zu verlassen.

Er griff tiefer in die Kiste hinein – und da war das Gesicht, ein Gesicht, das klar und deutlich zu erkennen war. Ein Gesicht, das Thorn nur zu gut kannte.

Das Gesicht Damien Thorns.

Natürlich gab es ein paar Unterschiede. Anstelle von Haaren hatte das Wesen Schlangen mit gespaltenen Zungen um den Schädel, und statt menschlicher Augen besaß es gelbe, geschlitzte Katzenaugen. Aber das Gesicht gehörte Damien. Es war unverwechselbar.

In diesem Moment kam die lange Reihe von Güterwaggons auf den Containerwagen zugefegt. Warren riß plötzlich die Augen auf, zu spät, um sich vor den vorragenden Eisenspitzen des ersten Waggons zur Seite zu werfen. Sie spießten ihn auf und nagelten ihn an den Containerwagen. Er kreischte auf und zappelte wie ein Schmetterling, den man lebend auf die Nadel gespießt hatte.

Der Anprall warf Thorn zu Boden. Die Mauer kippte ihm entgegen. Er sah sie kommen und sprang zur Seite, als sie ge-

nau an der Stelle, wo er eben noch gestanden hatte, herunter-
krachte und zersplitterte.

Das Beweismittel, das zu finden er hergekommen war, gab
es nicht mehr.

Aber Thorn hatte keine Zeit, darüber nachzudenken. Er
sprang aus dem Waggon und schaute sich nach Warren um.

Unfaßbarerweise lebte Warren noch. Aus seinem Mundwinkel rann Blut, sein Hemd war durchtränkt davon.

»Mein Gott! Charles!« Thorn eilte entsetzt auf seinen ster-
benden Freund zu, um ihm zu helfen.

Warren hielt ihm die Hand mit dem Kruzifix entgegen.

»Nimm«, sagte er heiser. »Und . . . die Dolche.« Er rang
nach Atem. »Der Junge . . . muß . . . getötet werden.«

»Die Dolche?« sagte Thorn gepreßt. »Wo sind sie?«

»Fort jetzt«, ächzte Warren, »bevor es zu spät ist!«

Thorn hob den Kopf. Der Rabe saß auf dem Güterwaggon
und starrte auf sie hinunter.

»Wo sind die Dolche?« schrie Thorn.

Aber Warren konnte ihn nicht mehr hören. Seine Augen
brachen, das Kruzifix entglitt seiner Hand.

Thorn wich entsetzt zurück. Der Rabe stieß einen kreischenden Schrei aus, schwang sich in die Luft und stieß auf
Thorn herab.

Thorn stürzte sich auf das Kruzifix und hob es auf. Er
packte es fest, wirbelte herum und reckte es dem Vogel entgegen. Der Rabe kreischte wild und flog davon, zornig in der
Luft kreisend. Thorn trat vor, das Kreuz hoch erhoben, und
der Vogel flatterte davon. Thorn begann zu laufen.

14

Es war der Abend, an dem in der Davidson-Militärakademie die Degen überreicht wurden, im Rahmen einer Jahresfeier, die zu den wichtigsten zählte.

Die Eltern und Schüler hatten sich im Gebäude versammelt und standen auf der Galerie, um die zu ehrenden Kadetten bei der Feier zu beobachten.

In diesem Jahr wurden sechs Kadetten auf diese Weise geehrt, unter ihnen Damien. Auch Mark hätte den Degen erhalten, und die fünf Kadetten hatten sich so aufgestellt, daß eine Lücke blieb. Damien stand hoch aufgerichtet an seinem Platz. Er trug noch immer die schwarze Armbinde an seinem Ärmel.

Ann stand auf der Galerie, Buher neben ihr. Sie war den Tränen nahe. Buher gab ihr stumm sein Taschentuch, und sie lächelte ihn an.

Unten hatte sich ein Hornist aufgepflanzt und blies militärische Signale, als die Kadetten der Reihe nach vortraten, um die Degen in Empfang zu nehmen.

Auf der anderen Seite der Galerie stand eine Gruppe junger Mädchen in langen Kleidern. Vor allem ein Mädchen fiel auf – nicht nur seiner außerordentlichen Schönheit wegen, sondern auch, weil zwei breitschultrige Männer in dunklen Anzügen links und rechts von ihr Wache hielten. Sie waren als Leibwächter klar erkennbar. Der Vater des Mädchens, der Gouverneur von Illinois, sorgte für den Schutz seiner Tochter. Sie ließ den Blick während der ganzen Zeremonie keine Sekunde von Damien.

Als Damien aufgerufen wurde, trat er mit schnellen Schritten vor, blieb vor dem Offizier stehen und schlug die Hacken zusammen.

Ann packte oben auf der Galerie Buhers Arm, von einer Nervosität erfüllt, die sie sich nicht erklären konnte. Er streichelte ihre Hand und lächelte beruhigend.

Als Damien seinen Degen erhalten hatte, griff der Offizier nach einem zweiten.

»Nimm das«, sagte er und reichte ihn Damien, »für deinen Cousin Mark, der sich diese Auszeichnung in hohem Maß auch verdient hätte.«

Man klatschte Beifall. Ann wischte sich die Augen. Die Tochter des Gouverneurs applaudierte heftiger als alle anderen.

Damien salutierte, drehte sich um und ging an seinen Platz zurück.

Hinter Ann tauchte Murray, der Chauffeur, auf und flüsterte ihr etwas zu. Sie nickte und beugte sich zu Buher hinüber.

»Ich muß gehen, Paul. Richard hat eben angerufen. Er muß bald landen. Ich möchte ihn abholen.«

Buher nickte.

»Kommen Sie später zum Ball?« fragte er.

Sie zuckte die Achseln.

»Wir wollen es versuchen«, sagte sie, stand auf und folgte Murray.

Buher sah ihr nach, dann blickte er hinunter und fing Neffs Blick auf.

Sie nickten einander kurz zu.

Ann saß in der Limousine und wartete darauf, daß Richard das Flugzeug verließ. Draußen stand Murray, zerzaust vom starken Wind.

Das Flugzeug rollte aus und kam zum Stillstand. Als die Triebwerke abgestellt waren und man eine kleine Gangway an die Maschine geschoben hatte, ging die Tür auf, und Richard lief die Stufen hinunter.

Er eilte auf Murray zu, ohne Ann auch nur zuzuwinken.

»Wo ist Damien?« stieß er hervor.

»In der Akademie, Sir«, antwortete Murray.

»Wir fahren mit dem Taxi zum Museum. Ich wünsche, daß Sie Damien sofort holen und ihn auch dort hinbringen.« Richard öffnete die Wagentür und griff nach Ann. »Los«, sagte er, »du kommst mit!«

Sie eilten auf das Flughafengebäude zu. Ann hielt nur mühsam Schritt mit Richard. Murray sah ihnen nach.

Der Ball war in vollem Gange. Die Paare drehten sich auf der Tanzfläche, und man fühlte sich beinahe in das vorige Jahrhundert versetzt. Die Kadetten waren in Ausgehuniform, die Mädchen in langen Ballkleidern.

An der Wand, in der Nähe des Tisches mit den Getränken, standen die Nichttänzer, auf der einen Seite die Mädchen, auf der anderen die Jungen. Sie wechselten Blicke miteinander und kicherten.

An einer anderen Stelle standen Damien und Sergeant Neff und beobachteten die Tänzer. Auf der anderen Seite befand sich das Mädchen mit den zwei Leibwächtern. Sie betrachtete Damien voll Interesse, und Neff bemerkte es.

»Du wirst Mut brauchen, mit ihr zu tanzen«, erklärte er.

»Wirklich?«

Neff nickte.

Damien lächelte.

»Sie vergessen, daß ich die Familie gut kenne«, sagte er und setzte sich in Bewegung.

Neff sah ihm befriedigt nach.

Richard stürmte durch die Halle des Museums, auf dem Weg zur Treppe in den Keller. Ann folgte ihm mit Mühe.

»Du bringst mich nicht dazu, daß ich das glaube«, sagte sie atemlos.

»Du *mußt* es glauben!« stieß er hervor. »Er hat Mark getötet. Er hat Atherton und Pasarian –«

»Hör auf!« schrie sie, holte ihn ein und packte seinen Arm. Richard starrte sie an.

»Er wird weiter töten. Er wird jeden töten, den er für eine Gefahr hält.« Er riß sich los und lief die Treppe hinunter.

»Wie denn?« fragte Ann zornig. »Wie hat er sie umgebracht? Hat er das Eis zerhackt –«

»Nein«, sagte Richard, »nicht er selbst –«

»Oder das Gasrohr auseinandergerissen?«

Richard blieb stehen.

»Es gibt noch andere«, sagte er, »Gehilfen von ihm, die dafür sorgen, daß ihm nichts passiert.«

Ann schluckte.

»Richard, hör dir einmal selbst zu«, sagte sie dumpf. »Hör dich an, wie verrückt das klingt. ›Andere‹? Noch mehr Teufel? Eine Teufelsverschwörung? Richard, *bitte!*«

Richard griff nach ihren Händen.

»Ann«, sagte er flehend, »ich habe gesehen, wie Charles getötet wurde –«

Anns Atem stockte. Sie riß die Augen weit auf.

»Und ich habe *Damiens Gesicht* an Jigaels Mauer gesehen.«

Einen langen Augenblick blieb es totenstill. Sie starrten einander stumm an.

»Was willst du tun?« fragte Ann schließlich mit einer Stimme, die sie selbst nicht als ihre eigene erkannte.

Damien tanzte mit der Tochter des Gouverneurs. Das Mädchen schien auf dem Gipfel der Glückseligkeit angelangt zu sein. Die anderen Kadetten sahen ihr staunend nach, die Mädchen verzehrte der Neid.

Nach einer Runde auf der Tanzfläche bemerkte Damien, daß Neff und Murray beieinander standen und sich unterhielten. Der Chauffeur fing Damiens Blick auf.

»Entschuldigung«, sagte Damien höflich, »ich komme gleich wieder.« Er brachte das junge Mädchen zu den Leibwächtern zurück und eilte auf Murray und Neff zu.

Neff trat ihm entgegen und sagte: »Vorsicht!«

Damien sah ihn kalt an und erwiderte: »Sie vergessen, wer ich bin.«

Neff senkte den Kopf.

Damien drehte sich auf dem Absatz um und folgte Murray hinaus zur wartenden Limousine.

Als Richard endlich den Schlüssel gefunden und die Tür zu Warrens Arbeitsraum aufgesperrt hatte, stürzte er hinein, knipste das Licht an und begann hastig zu suchen, riß Schubladen und Schränke auf, blickte unter die Tische.

»Was machst du da?« fragte Ann, die in der Tür stehengeblieben war.

Richard hob den Kopf und sagte: »Die Dolche sind hier. Sie *müssen* da sein!«

Ann stürzte ins Zimmer.

»Richard, nein!« schrie sie auf. »Nicht! Ich lasse nicht zu –«

Richard stieß sie weg.

»Laß mich! Ich weiß, daß sie hier irgendwo sind.«

Ann verlor vor Angst beinahe den Verstand.

»Du willst ihn *töten* –«

»Er muß –«

»*Nein!*«

»Ann, der Junge ist nicht menschlich!« Richard geriet endlich an die abgesperrte Schublade und zerrte daran.

»Er ist der Sohn deines Bruders.« Ann begann zu weinen. »Du hast ihn sieben Jahre lang geliebt wie deinen eigenen Sohn.«

Aber Richard hörte nicht auf sie. Er war entschlossen, die Schublade zu öffnen. Er schaute sich verzweifelt nach irgendeinem Werkzeug um und entdeckte einen Behälter mit Grabungsinstrumenten. Er packte einen Meißel und wandte sich wieder der Schublade zu.

Draußen hielt die Limousine vor dem Museum. Damien stieg aus, beugte sich hinein und sagte etwas zu Murray, dann lief er die Stufen hinauf.

15

»Warte, Richard!« flehte Ann. »Bitte, um meinetwillen, warte!«

Aber ihre Worte stießen auf taube Ohren. Richard hatte die Schublade endlich aufgebrochen und starrte befriedigt die sieben Dolche an, die im Licht der Deckenlampe funkelten.

Damien lief inzwischen die breite Treppe von der Halle in den Keller hinunter. In der Ferne hörte er gedämpfte Stimmen – Ann, die flehend auf Richard einredete, und Richard, der sich nicht beeinflussen ließ. Damiens Gesicht blieb ausdruckslos. Er ging weiter.

Ann war vorgestürzt und hatte die Schublade zugestoßen. Sie stellte sich davor.

»Das lasse ich nicht zu!« kreischte sie.

Richard starrte sie an.

»Gib mir die Dolche, Ann!«

Sie schüttelte den Kopf. Ihr Gesicht war tränenüberströmt.

»Ann«, sagte er langsam, »gib – sie – mir!«

Sie starrten einander eine Ewigkeit an. Ann senkte den Blick und drehte sich zögernd um, als sei ihr Herz von einer lähmenden Traurigkeit befallen. Langsam, ganz langsam zog sie die Schublade heraus.

Damien stand vor der Tür zu Warrens Arbeitszimmer, lauschte aufmerksam und konzentrierte sich, wie in einer Art Trancezustand. Er hatte die Augen geschlossen und begann zu zittern.

Wieder schien Ann zu zögern. Sie bewegte sich wie eine Schlafwandlerin, wie ein von einem fremden Willen gelenktes Wesen. Gab es in ihr eine Stimme, die mächtiger war als ihr eigener Wille? Sie griff in die Schublade und zog die Dolche heraus. Dann drehte sie sich nach ihrem Mann um.

Richard streckte die Hände nach den Stichwaffen aus.

Plötzlich trat Ann vor, wie von einer fremdartigen, dämonischen Kraft besessen. Ihr Gesicht hatte sich verzerrt, völlig verändert, es war das Gesicht einer Wahnsinnigen. Sie beugte sich zu Richard vor und flüsterte: »*Hier sind deine Dolche, Richard*«, und sie stieß alle sieben Dolche tief in seinen Körper.

Seine Augen weiteten sich vor Entsetzen und Qual.

»Ann!« schrie er auf, als er nach vorn stürzte, zu Boden fiel und die Dolche durch den Aufprall tiefer in seinen Leib getrieben wurden.

»Gib mir die Dolche, Ann!«

Ann warf den Kopf triumphierend zurück, mit geschlossenen Augen, mit freudigem Lächeln, dann kreischte sie wild hinaus:

»DAMIEN!«

Damien hatte aufgehört zu zittern und öffnete die Augen. Er griff nach dem Türknopf und zögerte, so als zwinge ihn etwas, seine Absicht zu ändern. Er stand eine Weile still da, wie in tiefster Konzentration. Dann drehte er sich lautlos um und ging zur Treppe zurück.

Im Kesselraum, unmittelbar neben Warrens Arbeitsraum, begann der große Heizofen tief zu grollen . . .

Ann stand erstarrt in Warrens Büro, wie in einer Trance der Glückseligkeit.

Damien begann schneller zu gehen.

Im Nebenraum explodierte die große Heizanlage. Ein Strom brennenden Öls spritzte durch den Heizschacht in Warrens Arbeitsraum und erfaßte Ann. Sie kreischte auf, als das Öl in Flammen emporloderte und sie in eine gleißende Fackel verwandelte.

Damien durchschritt oben die Halle. Rings um ihn begannen die Alarmanlagen des Museums zu schrillen, ausgelöst vom Brand in den Kellerräumen.

Dann trat die Sprinkleranlage in Aktion und hüllte Ann in eine Dampfwolke.

Zu spät.

Strahlend in ihrem Flammentod, wie eine dämonische Johanna von Orleans, hob sie das Gesicht zum Himmel und schrie gellend:

»Damien! *Damien! DAMIEN!*«

Damien blieb am Ausgang des Museums stehen und schaute sich um, einen Anflug von Bedauern in den Augen. Dann drückte er die Tür auf und trat in die Nacht hinaus.

Vor ihm lag ganz Chicago, in der klaren Nachtluft leuchtend und gleißend. In der Ferne heulten die Sirenen der Feuerwehr, die unterwegs war, um die drohende Vernichtung des Thorn-Museums durch die Flammen zu verhindern.

Vor den Stufen des Museums erwartete Damien die große, schwarze Limousine. Murray stand neben der offenen Fondtür auf der rechten Seite.

Damien lief die Stufen hinunter und stieg ein.

Im Fond saßen Paul Buher und Sergeant Neff und lächelten befriedigt.

Damien gab dem Chauffeur einen Wink. Als die Limousine in die Nacht hineinglitt, schaute der junge Mann namens Damien durch das Heckfenster zum Museum zurück, das nun in hellen Flammen stand. Der Widerschein des Feuers spiegelte sich in den Fenstern des Wagens und auf Damiens Gesicht, das den flackernden Tanz der Flammen mit Lust zu verfolgen schien.

Und Damien lächelte.

Denn solche falsche Apostel und trügliche Arbeiter verstellen sich zu Christi Aposteln. Und das ist auch kein Wunder; denn er selbst, der Satan, verstellet sich zum Engel des Lichtes (2. Korinther, 11,13).